TEAS

Tha Maoilios Caimbeul air iomadh duais a chosnadh airson a bhàrdachd, agus tha aithne air a chuid sgrìobhaidhean ann an Alba agus gu h-eadar-nàiseanta. Choisinn e Crùn a' Chomuinn Ghàidhealaich ann an 2002 agus 's e 'n Sgrìobhadair a bh' aca aig Ionad Nàiseanta na Gàidhlig agus a Cultair an Sabhal Mòr Ostaig, airson 2008-9. Leig Maoilios dheth a dhreuchd gu h-oifigeil mar thidsear ann an 2005 ach bidh e fhathast a' sgrìobhadh 's a' teagasg. Tha e an-diugh a' fuireach san Eilean Sgitheanach agus a' teagasg modalan sgrìobhaidh air astar agus sgilean cruthachail pàirt-ùine aig Sabhal Mòr Ostaig.

Chaidh còig cruinneachaidhean bàrdachd leis fhoillseachadh agus thàinig tasgadh bho na cruinneachaidhean sin, *Breac-a'-Mhuiltein/ Spéir Dhrom An Ronnaigh*, (Dàin 1974-2006), a-mach ann an 2007 bho Choiscéim. Thàinig leabhar bàrdachd dà-chànanach *Dà Thaobh a' Bhealaich / The Two Sides of the Pass* a-mach bhuaithe fhèin agus Mark Goodwin ann an 2009, le dealbhan le Eòghann Mac Colla.

Sgrìobh e na leanas de nobhailean cloinne agus dheugair: *Clann a' Phroifeasair* (1988), *Talfasg* (1990), *Mèirlich nam Bradan* (1991), *À Ulbha gu Geelong* (1992), *Iain agus na Drogaichean* (1993), *Murt ann an Diùrainis* (1993) agus *Caisteal nan Sgràgan* (2002). Rinn e leabhar-obrach airson sgoiltean, *Gràmar na Gàidhlig: leabhar-teagaisg* (2005) a tha dol leis an leabhar leis an aon ainm. Tha e fhèin agus a bhean, Mairead, ag obair an-dràsta air leabhar ann am Beurla leis an tiotal *God and a Gaelic Poet: a Journey from Agnosticism to Belief*.

Teas

Maoilios Caimbeul

CLÀR

CLÀR

Foillsichte le CLÀR, Station House, Deimhidh,
Inbhir Nis IV2 5XQ Alba
A' chiad chlò 2010
© Maoilios Caimbeul 2010
Gach còir glèidhte.

Air a chur ann an clò Minion
le Edderston Book Design, Baile nam Puball.

Air a chlò-bhualadh le Gwasg Gomer,
Llandysul, Ceredigion, A' Chuimrigh
Tha clàr-fhiosrachadh foillseachaidh dhan leabhar seo
ri fhaighinn bho Leabharlann Bhreatainn

LAGE/ISBN: 978 1-900901-57-4

ÙR-SGEUL

Tha amas sònraichte aig Ùr-Sgeul – rosg Gàidhlig ùr do dh'inbhich
a bhrosnachadh agus a chur an clò. Bhathar a' faireachdainn gu robh
beàrn mhòr an seo agus, an co-bhonn ri foillsichearan Gàidhlig, ghabh
Comhairle nan Leabhraichean oirre feuchainn ris a' bheàrn a lìonadh.
Fhuaireadh taic tron Chrannchur Nàiseanta (Comhairle nan Ealain –
Writers Factory) agus bho Bhòrd na Gàidhlig (Alba) gus seo a chur air
bhonn. A-nis tha sreath ùr ga chur fa chomhair leughadairean.

Ùr-Sgeul: sgrìobhadh làidir ùidheil – tha sinn an dòchas gun còrd e ribh.

www.ur-sgeul.com

What was once heaven, is zenith now.
Where I proposed to go
When time's brief masquerade was done
Is mapped and charted too!

What if the poles should frisk about
And stand upon their heads!
I hope I'm ready for the worst,
Whatever prank betides!

Bho 'Old-fashioned', le Emily Dickinson

1

Inbhir Nis. 1986. Prìomh bhaile na Gàidhealtachd a chanar ris, e na laighe air bruaichean Abhainn Nis. Baile far a bheil duine fhathast buailteach tachairt ri caraid a' gabhail sràid, no coinneachadh le turchairt ri cuideigin nach fhaca e airson bhliadhnaichean. Baile nan eaglais agus nan stìopall, nan taighean-òsta agus nan taighean-bìdh. Baile na malairt agus nam bùithtean air am bi daoine a' tadhal on dùthaich mun cuairt agus bho na h-Eileanan fhèin a cheannach agus a dhèanamh an cuid ghnothaichean.

'S ann dhan bhaile seo a thàinig Iain Murchadh MacLeòid. Bha e ag obair do Chomann Mòr an Leasachaidh. Bha togalach aca ri taobh na h-aibhne. Chaidh a chur an-àirde sna 60an, bogsa mòr le ceàrnagan glainne agus concrait. Ann an sùilean Iain Mhurchaidh, cha robh dad brèagha mu dheidhinn. 'S ann bhon ionad seo a bha spògan fad-shiùbhlach an leasachaidh a' ruighinn a-steach dhan cheàrnaidh a b' iomallaiche air a' Ghàidhealtachd – a' togail bùth-obrach an siud, a' toirt airgead do dh'entrepreneur an seo agus cuideachadh fìor mhath do chompanaidhean.

Bha dreuchd àraid aige – Oifigear a' Chultair. 'S ann ris-san a bha an urra làmh cuideachaidh a thoirt dhan Ghàidhlig, dhan cheòl 's dhan t-seann dualchas. Bha dìreach bliadhna o thòisich e san dreuchd. An toiseach cha robh an obair air a bhith a' còrdadh ris – gus an latha a thòisich e a' dol a-mach le Lili.

A-nise, 's e Dihaoine a bh' ann agus bha an deireadh seachdain gu bhith aca còmhla. Bha e còig mionaidean an dèidh sia air latha brèagha foghair nuair a thàinig e a-mach às an Taigh Ghlainne, mar a bha aige air togalach a' Chomainn. Cha robh e a' dol air ais dhan Eilean Sgitheanach idir, far am b' àbhaist an dachaigh aige a bhith. Bha an teaghlach aige ann, ach bha e fhèin agus a bhean dealaichte airson bliadhna agus cha robh miann sam bith aige iad faighinn air ais còmhla, ged a bhiodh e a' faicinn na nighinne aige bho àm gu àm. Ann an Inbhir Nis bha rùm aige ann an taigh faisg air Eden Court. Rùm beag a bh' ann le leabaidh 's àmhainn mheanbh-thonnach 's dà chathair 's telebhisean; cha robh mòran eile.

Duine sam bith a bha air fhaicinn a' fàgail togalach a' Chomainn, cha chuireadh iad uibhreachd sam bith air am measg sluagh na sràide. Dà fhichead bliadhna a dh'aois, faisg air sia troighean a dh'àirde, air fàs maol, speuclairean le oirean adhairce orra agus màileid na h-obrach aige na làimh. Cha robh e ach mar na mìltean de dhaoine eile air feadh na rìoghachd, a' tighinn a-mach às an àite-obrach agus a' dèanamh le toileachas air an taigh. Cha toireadh coigrich an aire gun robh a shùilean na bu shoilleire nan àbhaist. Cha b' urrainn fios a bhith aca air an adhbhar – gun robh Lili a' feitheamh ris san t-seòmar aige.

Bha ise cuideachd ag obair do Chomann Mòr an Leasachaidh. B' ise Oifigeach an Luchd-obrach, ag obair ann am Personnel. B' e a prìomh dhleastanas a bhith a' fastadh dhaoine dhan Chomann agus gan suidheachadh nan obraichean. A' chiad latha a chunnaic e i b' ann aig an agallamh nuair a thàinig e an toiseach a shireadh obair aig CML. Ghabh e nòisean dhi san spot. Bha i brèagha – chan eil teagamh sam bith mu dheidhinn sin – le a falt fada dubh agus a craiceann bàn, bàn. Ach cha b' e sin bu mhotha a thug buaidh air ach a sùilean. Thug iad rudeigin na chuimhne, ach cha b' urrainn dha smaoineachadh dè.

Bha i na suidhe eadar dithis fhireannach, Mgr Crombie, Ceannard a' Chomainn, duine beag, caran reamhar, le falt liath-dhonn agus aodann ruiteach agus an Rùnaire, a bha a' coimhead cho coltach ri sgoilear le aodann sèimh, reusanta. B' ise a chuir a' chiad cheist. "Carson a tha sibh ag iarraidh na h-obrach seo?"

Cha robh e fada ag innse sin dhi. Mar a bha e a' creidsinn ann an dualchas, gu h-àraidh dualchas nan Gàidheal. Cho cudromach 's a bha e an cànan 's an ceòl a chumail beò. Thuirt e sin agus mòran eile. Rinn i snodha-gàire mar gun robh i ag aontachadh ris, no 's dòcha gun robh i a' feuchainn ri a mhisneachadh. Cha robh e cinnteach.

Bho dhoimhneachd inntinn bha freagairtean eile a' goil an-àirde – mar a bha e seachd searbh dhen obair a bh' aige (bha e ag obair mar fhear-naidheachd dhan BhBC), mar a bha e sgìth dhen bhaile bheag san robh e a' fuireach. Àite beag, cho dùinte a-staigh . . . ach chùm e na smaointean sin aige fhèin. Nuair a dh'fhàg e an t-agallamh, chùm e a' smaoineachadh oirre. Na sùilean ud, dè bh' ann mu dheidhinn a sùilean?

Thàinig e thuige an uair sin: teachdaireachd nan sùilean.

Chuimhnich e nuair a bha e a' fuireach ann an Inbhir Nis, bliadhnaichean mòra air ais, às dèidh dha an taigh fhàgail, agus mus do phòs e. B' iad siud na làithean geala. Bhiodh e a' dol gu dannsaichean ann an Srath Pheofhair, Druim na Drochaid, Baile an Locha agus iomadh àite eile. Thug Lili na chuimhne na seann làithean. Sna h-amannan ud gheibheadh e teachdaireachd nan sùilean bho àm gu àm. Bhiodh fios aige sa bhad nuair a bheireadh nighean an t-sùil sin dha, agus cha b' ann tric a b' urrainn dha a mhiann àicheadh.

Ach bha sin o chionn bhliadhnaichean. 'S dòcha gun robh e gu tur ceàrr mu dheidhinn Lili. Carson nach b' e càirdeas a bhiodh sna sùilean aice? Dè ma bha e air a sgil a chall agus nach b' urrainn dha an diofar innse tuilleadh eadar càirdeas agus miann. Co-dhiù, thuirt e ris fhèin: 's math nach tug mo shùilean-sa cuireadh sam bith dhìse.

Mar a smaoinich e air an latha ud agus e a' coiseachd ri taobh na h-aibhne, thàinig spreigeadh na cheum. Cha mhòr gum b' urrainn dha a chreidsinn: bha i a' fuireach ris san t-seòmar aige. Bha e air a bhith ceart mu theachdaireachd nan sùilean. Bha e a-nis faisg air bliadhna o latha an agallaimh agus bha iad air a bhith a' dol còmhla airson mu ochd mìosan. Bha miann air a dhol gu rud na bu làidire. Bha toil-inntinn aca an cuideachd a chèile. Bha spèis aige dhi, bha earbsa aige innte agus bha e a' faireachdainn gun robh sin fìor dhìse cuideachd. Bha e a' tòiseachadh a' faireachdainn gun robh gaol aige oirre agus aicese airsan. Bha, bha e cinnteach gun robh gaol aige oirre.

Cha b' fhada gus an do ràinig e an taigh san robh an rùm aige. 'S ann shuas an staidhre a bha e. Bha an solas air. Feumaidh gun robh i ann. Mar a thàinig e chun an dorais, chuir e beagan iongnaidh air nach robh an telebhisean air. B' àbhaist dhi a bhith a' coimhead an telebhisein uair sam bith a bhiodh i a' feitheamh ris.

Dh'fhosgail e an doras. Thug a chridhe leum às. Dh'fhàs e

bàn. Bha i na laighe leth-rùisgte air an leabaidh. Bha a sùilean fosgailte, gun ghluasad sam bith.

"Lili, Lili, dùisg," ghlaodh e, agus e a' ruith a-null thuice. Rug e air a làimh. Bha i blàth. Thug sin dòchas dha. Chuir e a chluas ri a broilleach a dh'fheuchainn an robh gluasad na cridhe. Chan fhairicheadh e càil.

Chaidh e a dh'fhosgladh a' chaibineit airson sgàthan fhaighinn. 'S ann an uair sin a thug e an aire dhan bhotal philichean. Bha e air a chliathaich, an ceann dheth agus e faisg air a bhith falamh. Murt, fèin-mhurt. Bha smaointean gun àireamh a' dòrtadh tro eanchainn. Cha do bhodraig e an sgàthan fhaighinn.

Chaidh e na ruith sìos an staidhre chun a' fòn agus dh'fhòn e 999.

2

Thàinig an carbad-eiridinn agus càr a' phoilis aig an aon àm. Bha deòir ann an sùilean Iain Mhurchaidh. Bu toigh leis a bhith air ruith air falbh agus e fhèin a thilgeil san abhainn, ach bha fios aige gum biodh sin gòrach agus na poilis aig an doras. Chanadh iad an uair sin le cinnt gum b' e a choire-san a bha ann gun do mharbh i i fhèin, no gu dearbh bhiodh amharas aca gun do mhurt e i. Thug am medic sùil amharasach air. 'S e duine beag tana, fad' às a bha ann.

Chuir e an steatasgop ri a broilleach airson tiotan. Choimhead e na sùilean le inneal-sgrùdaidh. "Tha i marbh," thuirt e ann an guth biorach, oifigeil.

"A bheil sibh cinnteach," ghuidh Iain Murchadh agus tachdadh na ghuth.

Choimhead an duine sìos a shròn air mar gum biodh e ag ràdh, "Dè fios a th' agadsa mu dheidhinn a leithid?"

Dh'fhairich e gun robh e cuideachd ag ràdh, "Agus dè bha i a' dèanamh leth-rùisgte san rùm agadsa co-dhiù?"

Dh'fhairich e nimh na bhith dhan duine, ged nach robh e air fhaicinn a-riamh roimhe, agus ged a bha e làn bròin agus buaireis.

Nuair a chunnaic na poilis gun robh i marbh, chuir iad fios rèidio airson dotair agus airson nan lorg-phoileas. Nuair a bhiodh bàs aithghearr mar seo ann, dh'fheumadh iad sin a dhèanamh.

An ceann greiseig, thàinig an dotair. B' fheàrr leis esan na fear na h-ambaileans. Duine na mheadhan-aois, le speuclairean. Bha e a' coimhead tuigseach, còir. Choimhead esan cuideachd na sùilean. Chrath e a cheann. Thionndaidh e ri Iain Murchadh gu tùrsach. "Tha mi duilich, tha i air falbh. Feumaidh an corp a bhith air a thoirt air falbh airson postmortem, ach an toiseach bidh na lorg-phoilis ag iarraidh dealbhan a ghabhail."

Cha b' fhada gus an tàinig triùir lorg-phoilis bhon Roinn Rannsachaidh Eucoir. Thuirt iad ri Iain Murchadh fuireach aig an doras fhad 's a bha iad a' dèanamh rannsachadh air an rùm. Dh'fhaighnich iad am b' aithne dha càirdean Lili agus thug e dhaibh seòladh a màthar. Bha iad mu leth-uair a thìde a' gabhail dhealbhan agus a' cur stuth ann am bagaichean. Thàinig an luchd-adhlacaidh agus thug iad air falbh an corp do dh'ionad nam marbh, far am biodh e gus am biodh postmortem air a dhèanamh. Ghul Iain Murchadh agus iad a' falbh leis a' chorp.

Mu dheireadh thuirt am fear a bu shine ri Iain Murchadh, "Am b' urrainn dhut tighinn còmhla rinn chun an stèisein. Feumaidh sinn cunntas fhaighinn bhuat air na thachair."

Lean e sìos an staidhre iad.

Bha an carbad-eiridinn air falbh agus càr nam poileas am meadhan an rathaid air beulaibh an taighe. Air taobh a-muigh a' gheata bha nàbaidhean agus luchd-coiseachd air cruinneachadh; iad nan seasamh a' cagarsaich ri chèile. Bha fathann air a dhol nam measg gun robh murt air tachairt. Nuair a chunnaic iad Iain Murchadh eadar an dà phoileas dh'èirich am brunndail agus an torghan nam measg mar oiteag gaoithe anns na craobhan air latha geamhraidh. Chuala e tè òg le falt bàn ag ràdh ri a companach, "Siud agad e, am murtair."

Ged a bha e a' faireachdainn uabhasach, cha mhòr nach do rinn e gàire. Cho fada ceàrr agus a b' urrainn daoine a bhith.

Chaidh an corp a thoirt a-mach air sìneadair agus e ann am baga-cuirp geal. Chuir iad sa charbad e agus dh'fhalbh iad leis.

Smèid am poileas ris a dhol ann an cùl a' chàir. Chaidh a thoirt chun an stèisein, seachad air an Ràthaig Mhòir. Thug iad gu seòmar e le dà bhòrd agus cathraichean. Rinn am fear a bu shine de na poileasmain soidhne ris e suidhe sìos. B' ann à Glaschu a bha Iain MacIlledhuinn, an lorg-phoileas, duine mòr tomadach, misneachail. Dà bhliadhna air ais fhuair e àrdachadh na dhreuchd agus chaidh a ghluasad a dh'Inbhir Nis. Bu toigh leis a bhith ga fhaicinn fhèin mar aon de na gillean. Bhiodh e a' leantainn ball-coise agus a h-uile dàrnacha seachdain dheigheadh e a Ghlaschu a choimhead air na Gers a' cluich. An-diugh cha robh e toilichte idir. Bha a bhean air a bhith a' cur aiste mu dheidhinn an dearbh thurais sin.

"Nach eil an tìde agad fàs suas, gun thu a bhith nad ghille beag fad do bheatha," chanadh i ris.

Nise bha e a' dol a cheasnachadh an fhir seo a bha fo amharas. Cha robh dùil aige gum biodh duilgheadas sam bith ann. B' iomadh fèin-mharbhadh a bha e air fhaicinn anns na còig air fhichead bliadhna a bha e air a bhith na phoileasman. Cha robh e a' smaoineachadh gun robh càil uabhasach àraid mu dheidhinn na cùise seo – ach dh'fheumadh e dèanamh cinnteach.

Bha am poileas eile – eileanach tana le crith na làmhan – deiseil le peann agus pàipear airson gach nì iomchaidh a sgrìobhadh sìos.

"'S e seo ach nì a th' againn ri dhèanamh far a bheil bàs aithghearr sam bith. Na cuireadh e cus dragh ort," thòisich an lorg-phoileas. Dragh, nam biodh fios agad air a leth, smaoinich Iain Murchadh ris fhèin. Bha e fhathast ann am bruaillean mòr. Cha b' urrainn dha smaoineachadh ceart.

Thàinig an guth a-rithist tron cheò, "D' ainm? Cò às a tha thu? Àite d' obrach?" Mar bu mhotha a bha an lorg-phoileas a' bruidhinn 's ann bu lugha a bha an duine amh seo a' còrdadh ris. Dè am fios a bh' aigesan mun phian a bha e a' fulang? Dh'innis e dhaibh na bha fios aige air, mar a thàinig e dhachaigh bho obair mar a b' àbhaist agus mar a fhuair e marbh i.

"Tha thu ag ràdh gur e do leannan a bh' innte. Carson tha thu a' smaoineachadh a mharbh i i fhèin?"

Thàinig a' cheist na buille chràiteach dha. Cha robh beachd sam bith aige riamh gun robh leithid de nì a' dol a thachairt. Cha do chuir e riamh am bàs agus Lili còmhla ri chèile. Bha i cho beò anns a' h-uile dòigh. A gàire, a seanachas, a blàths. B' e seo a' bhuille bu chruaidhe a bhuail air na bheatha.

"Chan eil fhios a'm," thuirt e mu dheireadh tron phian.

"Chan urrainn dhut smaoineachadh air càil a thachair . . .?"

Bha e sàmhach airson greis. "Chan urrainn," thuirt e mu dheireadh, agus b' e an fhìrinn a bha aige. Carson a mharbhadh Lili i fhèin? Carson? Carson? Carson? Bha a' cheist a' bualadh mar òrd na eanchainn. Lean an lorg-phoileas ga cheasnachadh.

"An robh dragh sam bith eadaraibh?"

"Cha robh no dragh. Bha gaol mòr againn air a chèile. O, bhiodh sinn ag argamaid uaireannan . . ."

"Seadh?" ars an lorg-phoileas, mar gun robh seo uabhasach cudromach.

Cho gòrach 's a tha an duine a tha seo, smaoinich Iain

Murchadh. "Nach bi leannanan glè thric ag argamaid? Ma tha, chan eil e a' ciallachadh càil sam bith . . . bhiodh sinne a' pògadh an ath mhionaid." Ach cha robh an lorg-phoileas sàsaichte.

"Co mu dheidhinn a bhiodh sibh ag argamaid?"

"Cha bhiodh mu dheidhinn sìon."

"Ach thuirt sibh gum biodh sibh ag argamaid."

"Thuirt – mu dheidhinn rudan gun stàth . . ."

"Mar . . .?"

Cha robh e a' còrdadh ri Iain Murchadh mar a bha an duine aineolach seo ga cheasnachadh. Bha fios aige nach robh còir aige a bhith air a ràdh gum biodh e fhèin agus Lili ri argamaid, ach bha na h-argamaidean air a bhith cho aotrom, 's gun bhrìgh 's nach robh e a' sealltainn orra mar argamaidean. Ach cha robh còir aige air am facal 'argamaid' a chleachdadh idir, gu h-àraidh ris an lorg-phoileas seo. Ach bha na ceistean a bhathar a' cur air a' dèanamh dragh dha cuideachd. Bha an dubh eagal ag èirigh mar thonn bho dhoimhneachd anama. Cha b' urrainn dha ainm a chur air an eagal fhathast, ach bha e ga bhuaireadh gu mòr, mar phostair a chunnaic e uair de Hiort, na h-eileanan beag is dorcha ann am meadhan a' chuain dhuirch, mhòir, fhalaimh – 's gun ach na h-eòin, nan dotagan beaga bìdeach air a' chlàr dhubh, a' cur an cèill gun robh beatha ri fhaotainn. Samhla air an t-sloc gun ghrunnd a bha mac an duine a' cladhach dha, agus dhi, fhèin.

Bha MacIlledhuinn a' coimhead air, a' feitheamh freagairt, na shuidhe air ais na chathair, mar iasgair air bruach aibhne a' cluich le iasg. Dh'inns e dha an uair sin mar a bha e fhèin is Lili nan suidhe ann an cafaidh aon latha. Bha iad a' bruidhinn mu dheidhinn CML. Dh'inns e do MacIlledhuinn mar a chaidh an còmhradh.

"Nach eil e neònach gur tu fhèin an aon bhoireannach aig a bheil àrd dhreuchd sa Chomann?"

"Chan eil idir," thuirt i le gàire. "Tha mi nas fheàrr na fear sam bith."

"Tha fhios a'm air sin, agus tha thu nas brèagha cuideachd . . . ach inns dhomh."

"Tha na fir a' cumail nan dreuchdan dhaibh fhèin."

"Ciamar a b' urrainn dhaibh sin a dhèanamh?" cheasnaich mi, ged a bha deagh fhios agam gun robh fir ann a chanadh: "Ach am b' urrainn boireannach obair mar seo a dhèanamh?"

"Ach dè do bheachd fhèin? " tharraing i asam i le snodha-gàire.

"Tha cuid de dh'obraichean ann agus tha na boireannaich nas fheàrr annta, tha fhios."

"Mar . . .?"

"Dràibheadh càr," arsa mise, a' spòrs.

Thog i ceann, "No a' càradh leapannan?"

Bha MacIlledhuinn a' coimhead air gu mì-fhoighidneach bho thaobh eile a' bhùird. "Cha robh argamaid cheart agaibh riamh," ghlaodh e.

Choimhead Iain Murchadh air mar gun robh e às a chiall. "Nuair a thuirt mi argamaid, siud an seòrsa faoineis air an robh mi a' bruidhinn."

Chrom am fear eile a cheann. "Tha mi a' faicinn."

Dh'fheuch e taca eile. "Thuirt thu gun robh thu pòsta."

Dh'aontaich Iain Murchadh. Bha e an dòchas nach faighnich-eadh na poilis cus mu a mhnaoi, Nuha à Iòrdan a choinnich e nuair a bha e ag obair aig a' BhBC ann an Glaschu, ged a bha i nis a' fuireach san Eilean Sgitheanach. Ach cha bhiodh i fada an sin. Bha i a' dèanamh a dìcheall obair fhaighinn ann an Glaschu.

B' e Muslamach daingeann a bh' innte ach cha d' fhuair e a-mach dè dìreach cho daingeann gus an do phòs iad. Bhiodh iad an-còmhnaidh ag argamaid mu chreideamh, ach mar a bha esan ga fhaicinn cha ghabhadh ise idir ri argamaidean reusanta. Chaidh iad na b' fhaide 's na b' fhaide bho chèile, gus mu dheireadh gum bu ghann a bha iad a' bruidhinn idir. Thàinig geamhradh air a' bhlàths a bha uair eatarra. Mu dheireadh thuirt e rithe gun robh e a' fàgail agus fhuair e obair an Inbhir Nis.

Cha do dh'inns e guth dhe sin dhan lorg-phoileas, ach gun robh iad dealaichte agus gun robh fios aig Lili air sin, agus nach do chuir e dragh sam bith oirre .

"Cha robh e a' cur dragh sam bith oirre gun robh thu pòsta?" ars MacIlldhuinn gu mì-chreidmheach.

"Bha sinn dealaichte. Bha fios aig Lili air sin," thuirt e a-rithist le sgìths na ghuth. Bha e cinnteach nach robh e a' dol a dh'innse dhan t-srainnsear a bha air a bheulaibh a h-uile nì mu a bheatha phrìobhaidich. Bha e a' miannachadh gun sguireadh na ceistean. An rud bu mhotha a chòrdadh ris 's e faighinn air falbh gus am faigheadh e air smaoineachadh. Bha ceudan de cheistean ann a dh'fheumadh e a chur air fhèin, ach cha robh e a' faighinn cothrom. Chùm am poileas ga cheasnachadh Thòisich e a' faireachdainn tinn. An robh gaol aige air a' mhnaoi? Amadain mhòir thiuigh! Am biodh e a' dol air ais ga faicinn? Cha bhiodh, ach bhiodh e a' dol a dh'fhaicinn na nighinne. Carson a mharbhadh nighean òg, bhòidheach i fhèin? Dè fo ghrian am fios a bh' aigesan? Nam biodh fios aige, chanadh e. Dh'fhairich e na deòir a' tighinn. Bha cnap na amhaich.

Mu dheireadh, stad an ceasnachadh. Chunnaic an lorg-phoileas an rud a bha e ag iarraidh. Bha an duine seo ag innse na fìrinn. Cha do mharbh e idir i. Mharbh i i fhèin. Bha e cinnteach gur e sin a dh'innseadh am postmortem. Cha robh fios aige carson a rinn i e. Cha robh fios aig na poilis cha mhòr uair sam bith carson.

Sheas e agus dh'fhosgail e an doras do dh'Iain Murchadh. "Bidh fios againn ann an latha no dhà dè thug bàs dhi. Fòn thugainn feasgar a-màireach."

Dh'fhalbh Iain Murchadh. Cha robh e riamh cho toilichte faighinn a-mach à àite.

3

Nuair a fhuair Iain Murchadh a-mach às an Stèisean Poilis, rinn e a shlighe air ais dhan rùm-loidsidh aige.

B' e am foghar a bh' ann, an t-àm dhen bhliadhna a b' fheàrr leis, ach cha robh e a' toirt sùim tuilleadh dha na seallaidhean leis an robh e cuairtichte. Abhainn Nis a' siubhal farsaing, sèimh – na colbhan buidhe solais bho na lampaichean sràide a' sìneadh tarsaing nan uisgeachan, an caisteal, soilleir, àrd air a' bhruaich, na craobhan ioma-dhathte. Bha e a' sealltainn orra sin uile, ach cha robh e gan toirt fa-near. Cha robh ann dha ach a' smaointinn oillteil, uabhasach fhèin. Am b' e a choire-san a bh' ann ann an dòigh sam bith? Càit an d' fhuair i na pilichean? Carson a bha i gan gabhail? No am b' e a murt a chaidh a dhèanamh? Agus na dh'fhàg am murtair na pilichean airson na poilis a chur ceàrr?

Ise a bha cho aoibhneach, saidhbhir na pearsa, mar bu trice, làn gàireachdainn. Dh'fheuch e ri smaoineachadh an robh sanas sam bith ann gu robh dad ceàrr na beatha a bheireadh oirre làmh a chur na beatha fhèin. Ceart gu leòr, thug e an aire gu robh i, o chionn mìos no dhà, air a dhol uaireannan caran sàmhach. Nuair a dh'fhaighnicheadh e dhith dè bha ceàrr, cha chanadh i dad ach, "Chan eil càil, tha mi dìreach beagan sgìth."

Uaireannan, chaidleadh i còmhla ris anns an t-seòmar aige ann an taigh nan Gilliosach. Chuimhnich e gu robh i air a bhith an-fhoiseil o chionn ghoirid agus ag èigheach na cadal. Ach nuair a dh'fhaighnich e dhith dè bha ceàrr, dhèanadh i gàire 's chanadh i rud èibhinn mar, "O, bha sinn ann an coille agus bha thusa a' ruith às mo dhèidh agus thuit mi ann am boglach," no uair eile thuirt i, "Bha sinn air làithean-saora anns an Èipheit air an tràigh 's bha teas ann a bha uabhasach 's bha agam rim aodach a chur dhìom 's chaidh mo chur dhan phrìosan airson sin a dhèanamh ann an dùthaich Mhuslamach." 'S dhèanadh i gàire eile. Uair eile, bha a h-aodann a' coimhead nas truime 's thuirt i gu robh i air eilean beag 's gu robh ìre na mara ag èirigh 's gun robh eagal oirre gu robh i gu bhith air a bàthadh. Thàinig crith beag oirre mar a thuirt i e.

Bha e nise a' lùigeachdainn gun robh e air a bhith na bu dàine agus na bu dèine, agus air faighinn a-mach da-rìribh dè bha a' dèanamh dragh dhi, ma bha dad sam bith. Bha ise buailteach dìreach gàire a dhèanamh agus 's dòcha rudan fhalach agus dragh sam bith a bha airsan a chur ann an neo-shùim. Cha tuirt e guth ris na poilis, ach 's dòcha gum bu chòir dha a bhith air rudeigin a ràdh. Ach bha e cho math nach tuirt ris a' phoileas ud, no bhiodh e air a bhith san stèisean fhathast.

Ach ged a bha e air an aire thoirt do rudeigin eadar-dhealaichte mu a deidhinn o chionn mìos no dhà, bha iad fhathast toilichte gu leòr nuair a bhiodh iad còmhla. Gu dearbh, bha an staid sam b' àbhaist dhaibh a bhith agus a staid-san a-nis cho tur eadar-dhealaichte agus gun robh e mar sgian na chridhe. Chuir e roimhe nach deigheadh e tuilleadh a dh'obair dhan Chomann. Cha robh e cinnteach an robh fios aig an luchd-obrach mu dheidhinn e fhèin agus Lili. Ma bha, cha bhiodh iad toilichte agus esan pòsta. Bha fios math aige an sgainneal a bha suirghe mhì-laghail ag adhbharachadh ann am baile beag.

"An cuala tu mu Mhàiri Sìne agus Ailig, nach eil e uabhasach?"

"O, cha robh fhios a'm . . . Tha thu ciallachadh . . . "

"Tha mi 'g innse dhut, cha bhiodh an duine ud a-mach às an taigh aice nuair a bhiodh Tormod aig na croinn-ola . . . "

Agus mar sin air adhart. Bha e cho soirbh sin cliù a chall ann am baile beag, agus 's e baile beag a bh' anns a' Chomann. Smaoinich e air Ceit Anna a bhiodh a' gluasad bho làr gu làr, a' giùlain naidheachd 's cagar gu a caraidean. Chitheadh e i ann an sùil inntinn, a' bruidhinn ri Peigi is Anna is Donna mu bhàs Lili. Agus ma bha fios sam bith aca mun t-suirghe a bha eadar e fhèin is Lili, dh'fhaodadh tu a bhith cinnteach gun coiricheadh iad esan airson a bàis.

"Am balgaire! Feumaidh gun robh e dona dhi."

"'S e pòsta cuideachd."

"Tha na fir uile an aon rud." Agus mar sin air adhart.

Nuair a ràinig e an taigh, choinnich a' Bh-ph NicIllÌosa e san trannsa. 'S e boireannach meanbh, gasta a bh' innte. Cha robh e air eòlas e chur oirre idir agus cha bhiodh e ga faicinn uabhasach tric, ach bha fios aige gun robh i dèidheil air gàirnealaireachd. Bha gàrradh le patio, a chitheadh e bhon rùm aige, air cùl an taighe agus bhiodh i tric sa ghàrradh, a' glanadh a-mach nan luibhean agus a' cur uisge air na flùraichean – ròsan dearg' is buidhe is geal', agus clematis de dh'iomadh dath. An uair a bhiodh e grianach bhiodh i fhèin 's an duine aice – às Na Hearadh a bha e agus 's e smàladair a bh' ann – nan suidhe an sin a' gabhail na grèine.

"Tha mi uabhasach duilich mar a thachair," thòisich i. "Thuirt na poilis gun a dhol faisg air an rùm an-dràsta. Chuir iad teip air an doras . . ."

Cha robh e air smaoineachadh nach fhaigheadh e a-staigh dhan rùm aige. Ann an sùilean nam poileas, 's e 'àite far an do thachair eucoir' a bh' ann. Chan fhaodadh duine a dhol faisg air gus am biodh iad cinnteach nach e murt a bh' ann. Bheireadh sin latha no dhà. Dè bha e a' dol a dhèanamh? Cha robh àite aige sam fuiricheadh e.

Chunnaic i an iomagain na aodann. "O, na biodh dragh ort. Tha rùm falamh agam. Faodaidh tu fuireach an sin gus a . . ."

"Gus an tèid dearbhadh nach e murtair a th' annam . . ." Bha tàmailt na ghuth. Cha b' urrainn dhi gun an aire a thoirt.

"O, cha robh mi a' ciallachadh sin idir. Tha fhios a'm glè mhath nach do mharbh sibhse i."

Bha i a' coimhead mar gun robh i ga chiallachadh. Cha bu dùraig dha faighneachd dhith ciamar a bha fios aice air sin. Cha tuirt i an còrr, ach threòraich i suas an staidhre e chun an rùim ùir aige. Bha ceas leis taobh a-muigh an dorais.

"Thug na poilis cead dhomh stuth an toidhleit agad agus beagan aodaich a chur sa cheas."

Thuirt i ris dìreach faighneachd dhith nam biodh dad sam bith eile a dhìth air. Thug e taing dhi airson a bhith cho coibhneil agus dhùin e an doras às a dhèidh.

Shuidh e air an leabaidh, leabaidh a bha fuar falamh gun ise ri a taobh. Bha iad air a bhith a' dol còmhla airson ochd mìosan agus b' iomadh latha agus oidhche shona a bha air a bhith aca còmhla. Bha e air leughadh anns na pàipearan-naidheachd mu dhaoine a bhith a' cur às dhaibh fhèin agus glè thric cha robh fios aig duine carson a bha e a' tachairt. Glè thric ge-tà, a rèir eòlaichean, 's e gun robh duine sìos na inntinn a bha a' toirt air a leithid a dhèanamh, agus b' iomadh adhbhar a bh' ann airson duine a bhith sìos na inntinn. Saoil an robh i air a bhith sìos na h-inntinn? An e sin bu choireach gu robh i air a bhith a' dol sàmhach? Bha e ga choireachadh fhèin airson a bhith cho màirnealach 's gun a bhith air faighinn gu bun na cùise. Nach e a bha gòrach nach robh e air a ceasnachadh barrachd.

Smaoinich e an uair sin cho tàlantach, brèagha 's a bha i, ann an obair mhath agus bha i a' faighinn air adhart gu math leis a h-uile duine. 'S e dìreach dìomhaireachd a bh' ann.

'S e an aon rud eile a b' urrainn a bhith ann 's e murt. Ach cò a bhiodh ag iarraidh Lili a mhurt? Cha b' e an seòrsa tè a bh' innte aig am biodh nàimhdean agus i cho còir, càirdeil.

Smaoinich e gum biodh e a' dol air ais a dh'obair aig CML an ath sheachdain. Bhiodh an tiodhlacadh ann 's dòcha Dimàirt no Diciadain agus bhiodh aige ri dhol air ais Diardaoin. Cha robh cas dheth a' dol ann. Cha rachadh e air ais gu bràth. Cha b' urrainn dha aghaidh a chur air an togalach ud tuilleadh. Bha e eadhon piantail a bhith a' smaoineachadh a bhith ag obair gu bràth tuilleadh anns an àite san robh iad air coinneachadh agus air a bhith cho toilichte còmhla.

Shuidh e sìos aig a' bhòrd agus sgrìobh e litir gu Mgr Crombie, an Ceannard, ag ràdh gun robh e a' fàgail agus nach biodh e air ais tuilleadh. Bha e coma dè a smaoinicheadh iad, ach cha b' urrainn dha a dhol air ais an siud.

Bha a làmh air a shliasaid. Dh'fhairich e an cnap na phòcaid. Iuchraichean a' chàir aice! Bha e air dìochuimhneachadh gun robh a leithid aice, Renault beag gorm, agus gun robh i air an seat iuchraichean a bharrachd a bh' aice a thoirt dhàsan. Ged nach robh i a' fuireach ach mu mhìle air falbh ann an sgìre a' Chrùin, bhiodh i a' toirt a' chàir leatha agus ga fhàgail anns an rathad taobh a-muigh an taighe. Cha robh na poilis air guth fhaighneachd mu dheidhinn càr. Saoil an robh i air teachdaireachd no fios sam bith fhàgail ann?

Chaidh e a-mach agus, ceart gu leòr, bha e far na pharc i e. Thug e sùil na bhroinn. Bha e falamh ach gun robh lèine-t gheal na laighe air an t-suidheachan chùil. Choimhead e fo na suidheachain 's anns an toll-cùil agus mu dheireadh ann am pòcaid an dais. Bha baga-làimhe tana dubh an sin. Na bhroinn treallaich de dhiofar seòrsa agus leabhar beag, leabhar-latha. Dh'fhosgail e e agus a chridhe na bheul. Saoil am biodh sgrìobhadh ann a dh'innseadh dad sam bith dha? Cha b' urrainn dha a chreidsinn gum biodh, ach bha, air an latha seo fhèin – an 27mh An Lùnastal.

Bha sgrìobhadh ann ceart gu leòr agus san làmh-sgrìobhaidh aicese. Stad anail. Leugh e na facail: *Cunnart, cunnart mòr IM.* Shuidh e sa chàr airson ùine mhòir a' coimhead orra 's a' beachdachadh. Ach ged a shuidh 's ged a smaoinich, cha robh sìon a dh'fhios aige dè bha air cùl nam briathran. Bha aon nì cinnteach, ge-tà; bha na facail seo a' cur dreach tur eadar-dhealaichte air a h-uile nì a thachair. Ma bha i air a bhith ann an cunnart, dè an cunnart a bh' ann agus cò no dè a bha ga cur ann an cunnart? Carson a sgrìobh i, 'cunnart mòr IM'? An ann ag iarraidh cuideachadh airsan a bha i?

Cha robh e a' dèanamh bun no bàrr dheth.

4

Bha seòmar Mhgr Raghnaill Chrombie, Ceannard CML, air a' chiad làr de thogalach a' Chomainn. Bha an làr sin eadar-dhealaichte bho na làir eile. Ann an sin bha seòmraichean mòra spaideil, greadhnach, mar a bha iomchaidh air sgàth nan coinneamhan cudromach a bhiodh a' gabhail àite annta, coinneamhan a bha a' dol a dh'fhàilteachadh linn ùr a' ghnìomhachais agus an t-saidhbhreis dhan Ghàidhealtachd ghleansaich ùir.

B' e seòmar Mhgr Chrombie am fear bu spaideile. Co-dhiù, b' e an aon fhear san togalach a bha sgeadaichte le bhàsa fhlùraichean. A h-uile madainn Diluain, lìonadh Ms Coulton, am PA aige, gu cùramach a' bhàsa le flùraichean ùra agus chàraicheadh i gu h-ealanta i anns an uinneig air cùlaibh deasg Mhgr Chrombie. Dhèanadh esan gnòsail caran taingeil dìomhair o dhoimhneachd a sgòrnain. Chumadh ise na flùraichean le gluasad càilear grinn, agus sheasadh i air ais tiotan le sùil mheasail agus a ceann gu aon taobh. Dhèanadh i snodha-gàire snog ris. Bha an dithis aca deiseil airson obair na seachdaineach.

Dhèanadh Iain Murchadh gàire a h-uile triop a smaoinicheadh e air Raghnall Crombie agus na flùraichean. An t-aon le uallach leasachadh na Gàidhealtachd air a ghuailnean, a mhaoil preasach le cùram; an t-aon eile aotrom, dathach, a' dannsa san t-solas a bha air a chùlaibh.

An ath dhoras bha rùm mòr eile, an t-ionad aig Mgr Calum MacCoinnich à Leòdhas, agus rùnaire a' Chomainn. B' esan a bha a' cumail smachd air rianachd agus cunntas. Aocoltach ri Mgr Crombie, bha esan a' faicinn ceangal làidir eadar cultar agus leasachadh. Ma bha daoine a' dol a dh'fhuireach air a' Ghàidhealtachd, gun teagamh, dh'fheumadh obair a bhith aca, ach cha bu chòir sin a bhith a' ciallachadh gum feumadh iad cùl a chur ri an cànan agus an cultar fhèin. 'S ann an rathad eile a bha e: bha cànan is cultar a' daingneachadh obair gnìomhachais, na bheachd-san.

Cha robh Mgr Crombie a' tuigsinn cho cudromach agus a bha cultar. Cha robh e ga mheas ach mar nì diombuan, dìomhain, gun fheum. Dh'fhalbhadh e ann an àm nach biodh fada mar a bhiodh daoine a' fàs cofhurtail agus math dheth air sàilleabh nan leasachaidhean gnìomhachais a bha An Comann a' cur air adhart.

Bha an dòigh-smaoineachaidh aig Mgr Crombie a' dèanamh Mhgr MhicCoinnich fiadhaich. Bha A' Ghàidhealtachd fada ro làn de dhaoine coltach ris, daoine a bha gu tur aineolach air luachan nan daoine a bha a' fuireach sna h-eileanan agus taobh siar na dùthcha. Ach bha rudeigin caran annasach air tachairt. Bha e air toirt an aire o chionn dhà no trì mhìosan nach robh e air a bhith buileach cho dian na bheachdan agus a b' àbhaist dha a bhith. Co-dhiù, cha robh e a' sparradh a bheachdan air daoine mar a bha e buailteach air a bhith dèanamh. Gu dearbh, cha robh e cinnteach dè na beachdan a bha aig Crombie a-nis. Bha e air fàs cho sàmhach mun deidhinn.

Cuideachd air ciad làr Taigh na Glainne bha seòmar eile, nas motha eadhon na fear a' Cheannaird, far am biodh bòrd-stiùiridh CML a' coinneachadh. Ann an sin bhithte a' dèiligeadh ri iarrtasan airson cuideachaidh a bhiodh iad a' faighinn. Thigeadh planaichean leasachaidh thuca bho Shealtainn sìos gu Eilean Bhòid: daoine ag iarraidh nithean mar taigh-òsta a thogail no a dhèanamh nas fheàrr; bàt'-iasgaich a cheannach; ionad-àraich èisg a thòiseachadh; factaraidh a chur air bhonn agus ceud nì eile. Agus nam biodh na planaichean eirmseach, agus deagh chliù aig an neach, bheireadh CML tabhartas airgid agus iasad seachad airson an gnothach a chur air adhart. Bha e cudromach gum biodh eaconamaidh na sgìre a' sgapadh agus a' fàs agus gum biodh obraichean air an cruthachadh.

Ach an-diugh cha b' e gin dhe na nithean sin a bha fa chomhair Mhgr Chrombie. Bha Ms Coulton air deannan litrichean a dh'fheumadh e a leughadh a chur air an deasg aige mu a choinneamh. Dhèiligeadh i fhèin ri cuid mhath de na litrichean a thigeadh thuca, ach bha cuid ann ris am feumadh e fhèin sealltainn. Bha tè ann bho Iain Murchadh MacLeòid. Bha MacLeòid ag iarraidh an Comann fhàgail. Cha robh e ach air a bhith bliadhna san dreuchd. Bha e air fhaicinn uair no dhà agus bha e a' coimhead toilichte gu leòr na obair. Aig an àm cha robh e a' smaoineachadh gur e obair uabhasach cudromach a bha aige, an taca ri oidhirpean eaconamach a' Chomainn, ach bha am Mafia Gàidhlig air a bhith ag èigheach airson a leithid de dhreuchd o chionn iomadh bliadhna, agus mu dheireadh bha an Comann air gèilleadh. 'S e bodraigeadh a bhiodh ann nam biodh an t-oifigeach a' fàgail mu thràth. Bha amharas aige carson a bha e ag iarraidh fàgail, ach dh'fheumadh e dèanamh cinnteach.

Chaidh e gu oifis an Rùnaire leis an litir. Nam biodh fios aig duine air dad mun ghnothach, bhiodh fios aigesan. Bha e air a bhith sa Chomann o chaidh a chur air bhonn leis an Riaghaltas fichead bliadhna air ais agus cha robh eòlas a b' fhiach mun luchd-obrach nach robh fios aige air. Sheall e an litir dha.

"Carson a thu a' smaoineachadh a tha e ag iarraidh fàgail? " arsa an Ceannard gu slaodach.

"Tha fhios agad fhèin dè thachair Dihaoine."

"Tha, chaidh Lili fhaighinn marbh. A bheil gnothach aig sin ris, a bheil thu a' smaoineachadh?"

"Carson a bhiodh e ag iarraidh fuireach an seo ma bha . . ."

Thàinig stad na ghuth. Cha robh e fhèin cinnteach às na bha e ag ràdh.

"Seadh, ma bha dè . . .?"

"Uill, ma bha gaol aige oirre, am biodh e ag iarraidh fuireach anns an togalach far an robh iad còmhla, gu h-àraidh às dèidh dhi bàs fhaighinn ann an dòigh cho brònach."

"Chuala mi gun deach a faighinn marbh."

"O, bhruidhinn mi ri a màthair air a' fòn an-diugh. Tha postmortem air a bhith ann. Mharbh i i fhèin."

Bha sùil aige air a' Cheannard. Saoil ciamar a ghabhadh e ris an naidheachd sin. Ach cha robh faireachdainn làidir sam bith a' sealltainn na aodann. Cha do chuir sin iongnadh air. Bha an seòrsa dreuchd a bha aige air ionnsachadh dha mar a dh'fhalaicheadh e mar a bha e a' faireachdainn.

Chaidh Crombie a-null chun na h-uinneige, a chùl ris an Rùnaire, agus sheall e a-mach tarsainn na h-aibhne. Smaoinich e mar a bha iad air a bhith nan leannanan airson bliadhna. Cha b' e a choire-san a bh' ann gun do dhealaich iad – agus gun do thòisich i a' falbh le MacLeòid. Agus cha b' e a choire-san a bh' ann gun robh leannan aige. Bha a bhean diabhlaidh. Cùis-nàire. Bha i coma dè a chanadh i, biodh iad leotha fhèin no daoine a' cèilidh. 'A Raghnaill, a ghaoil, an toir thu dhomh cuideachadh, no bheir mis' air an tòin agad e, a bh . . . . . a tha thu ann.' Rudan mar sin. Bhiodh i ga nàrachadh.

Thionndaidh e air ais chun an Rùnaire. Bha esan mar a b' àbhaist a' coimhead cho glic ri cnoc, mar nach b' urrainn dad san t-saoghal cus dragh a chur air. Chaidh fiamh beag den ghàire thairis air aodann mar gum biodh cion-eòlais an fhir eile a' còrdadh ris.

"A bheil thu smaoineachadh gur e coire MhicLeòid a bh' ann ann an dòigh sam bith? Tha esan pòsta, nach eil?" arsa Crombie.

"Cò aige tha fios. Tha e pòsta, ach tha iad air falbh bho chèile."

Choimhead Crombie air an litir a bha aige na làimh. Choimhead e ris an Rùnaire. Bha e follaiseach nach fhaigheadh e an còrr soilleireachaidh bhuaithesan. Chuir e beagan leamhachadh air cho cinnteach às fhèin 's a bha am fear eile a' coimhead. Bha e an-còmhnaidh mar sin. An robh e cuideachd a' coimhead toilichte mu rudeigin? Rinn an t-amharas sin mì-thoilichte e. Ma tha bitheadh; bha e coma co-dhiù ged a dh'fhalbhadh MacLeòid. Nach robh gu leòr eile ann a ghabhadh àite? Agus ma bha e air a bhith a' dol a-mach le Lili, nach e sin adhbhar eile . . . Stad e e fhèin. Cha robh e ceart a bhith a' leigeil le faireachdainnean pearsanta buaidh a thoirt air breithneachaidhean proifeiseanta, an robh? Bha amharas aige gun robh fios aig an Rùnaire mar a bha e a' faireachdainn, gun robh e a' leughadh a smuaintean. 'S e Gàidheal a bh' anns an Rùnaire. Chan e ann fhèin. Daoine neònach, na Gàidheil, daoine neònach.

"Ma tha duine ag iarraidh fàgail, chan urrainn dhuinn a chumail air teadhair," ars an Rùnaire.

"Tha thu ceart agus 's dòcha gu bheil e a cheart cho math gu bheil e a' toirt a chasan leis." Dh'èirich e airson falbh.

"Tha an tiodhlacadh ann Diciadain," thuirt an Rùnaire, "anns an Eaglais Shaoir."

Thug e taing dha airson innse dha agus chaidh e air ais dhan rùm aige fhèin. Stad e a choimhead air na flùraichean airson mionaid, mus do shuidh e.

Anns an rùm eile, chrom Mgr MacCoinnich a cheann ris na pàipearan air an robh e ag obair. Dh'fheumadh e a dhol gun tiodhlacadh.

5

Diciadain, latha an tiodhlacaidh. Leth-uair an dèidh deich sa mhadainn. Bha Iain Murchadh fhathast na leabaidh. Bha e air fònadh gu na poilis Disathairne, mar a chaidh iarraidh air. Thuirt iad ris fònadh air ais Diluain, nach robh fios aca air buil a' phostmortem fhathast. Ach dh'fhòn Iain MacIlledhuinn fhèin thuige Diluain. Bha e ag iarraidh innse dha gu pearsanta. Bha iad air fios fhaighinn bho forensics agus 's e cur às dhi fhèin a rinn Lili ceart gu leòr – dòs marbhteach de bharbiturate. Bha e duilich, ach 's ann mar sin a bha, mar a bha dùil aige.

Cha do dh'inns e dhan Sgrùdaire mun leabhar-latha a lorg e sa chàr. Dh'fhaodadh na facail 'Cunnart, cunnart mòr I.M.' a bhith dà-sheaghach. Dè nam biodh na poilis a' smaoineachadh gur e esan a bha ga cur ann an cunnart? Smaoinich e agus smaoinich e mu dè a dh'fhaodadh na facail a bhith a' ciallachadh. 'S dòcha gun deigheadh e gu na poilis ach dh'fheumadh e fhèin beagan rannsachaidh a dhèanamh an toiseach.

Bha e air sùil a thoirt tron chòrr den leabhar-latha agus e an dòchas gum faigheadh e fiosrachadh na bu chinntiche air dè an cunnart anns an robh i air a bhith. An robh i ann an cunnart bho chuideigin agus i a' dol a dh'innse dhàsan, no an robh i a' smaoineachadh gun robh esan, e fhèin, Iain Murchadh, na chunnart dhi. Chuir an smuain sin dragh mòr air. 'S beag an t-iongnadh ged a bha e ag òl.

Bha e air sùil mhionaideach a thoirt air a' chòrr den leabhar-latha ach cha robh dad eile ann ach fios mu choinneamhan aig an robh i agus feadhainn gum feumadh i a dhol. Bha aon ainm ann a bha a' togail ceann a-rithist is a-rithist – Jane Harthill. Ach cò bh' ann an Jane Harthill? Cha b' urrainn dha smaoineachadh gun cuala e a h-ainm a-riamh. Bha e neònach nach tuirt Lili guth mu a deidhinn. Dh'fheumadh e faighinn a-mach cò i. Bhiodh e a' faicinn Ailig, caraid dha a bha ag obair ann an CML, às dèidh an tiodhlacaidh. 'S dòcha gum biodh fios aigesan.

Thug e sùil air an uair. Cairteal gu aon uair deug. Dh'fheum-adh e èirigh a dh'aithghearr. Bha A' Bh-ph NicIllÌosa air an rùm aige fhèin a thabhann air ais dha agus bha e a' dol a ghluasad air ais ann làrna-mhàireach. Às an rùm anns an robh e chitheadh e a' chraobh uinnsinn air taobh a-muigh na h-uinneige, a' ghrian a' deàrrsadh tro na duilleagan uaine agus na sgòthan mìorbhaileach geala air muin a' ghuirm a' falbh cho slaodach, ach an dèidh sin cha robh e ag iarraidh gluasad. Bha a chuid aodaich nan laighe nan cnap air an làr far an robh e air am fàgail, agus leth-bhotal air a' bhòrd – falamh. O oidhche h-Aoine, nuair a fhuair e Lili marbh, bha e air a bhith ag òl. Càil sam bith airson am pian a lùghdachadh.

Ach chan fhalbhadh am pian.

Ge b' oil leis thigeadh an smuain air ais thuige, ''S e do choire-sa a bh' ann,' ged nach b' urrainn dha a mhìneachadh dha fhèin ciamar. A-rithist agus a-rithist chanadh e ris fhèin, 'Dè rinn thu ceàrr?' agus cha robh freagairt aige. Cha robh e air a bhith dona dhi ann an dòigh sam bith. Cho fad 's a chitheadh e, bha i toilichte còmhla ris. Ach an dèidh sin chùm a' cheist ga bhuaireadh, 'Dè rinn thu ceàrr? An robh gu robh i a' dol sàmhach a' ciallachadh gur e rudeigin a bha esan a' dèanamh ceàrr?'

Bha oidhche uabhasach air a bhith aige. Trom-laighe. A' dùsgadh 's a' cadal. Luasgan. Bruaillean. A' cadal 's a' dùsgadh. Bhiodh Lili an-còmhnaidh anns a' bhruaillean. Uaireannan bhiodh i san leabaidh còmhla ris. Chuireadh e a làmh a-null airson a cur timcheall oirre, ach cha bhiodh càil ann. Bha aisling aige gun robh an dithis aca a-muigh anns na beanntan, 's gun robh iad faisg air oir creige, 's gun robh i ann an cunnart uabhasach. Cha b' urrainn dha ainm a chur air an eagal a bha ag èirigh ann. Dhùisg e agus e a' dòrtadh le fallas. Laigh e airson greis mhòr a' smaoineachadh air na h-aislingean. Cuid dhiubh bha e air dìochuimhneachadh, mar gum biodh a chuimhne le cùirtear tròcaireach air an cur am falach.

Chuala e gliongadaich shoithichean bho shìos an staidhre. Bha e air barrachd fhaicinn den Bh-ph NicIllÌosa anns na ceithir làithean a chaidh seachad na bha e air fhaicinn dhi on thàinig e a dh'fhuireach san taigh. Bha i air a bhith cho coibhneil ris. An-dè bha i air tighinn a-nuas le dìnnear dha air treidhe, rud nach do rinn i riamh ron sin. Bhiodh iadsan a' dol chun an tiodhlacaidh cuideachd, bha i air a ràdh gu socair.

Bha an eaglais ri taobh na h-aibhne – eaglais eireachdail le stìopall àrd. Dh'inns Lili dha gum biodh a màthair a' dol innte. Ach cha robh Lili fhèin. Bha cuimhne aige gun do dh'fhaighnich e dhith aon latha carson nach robh i a' dol dhan eaglais. Bha iad nan suidhe anns a' Phoenix, pinnt aig an dithis aca.

"Bu toigh leam adhradh a dhèanamh," fhreagair i, "ach chan ann an eaglais."

Stad i agus ghabh i balgam dhen deoch.

Rinn e gàire. "Càite eile ach ann an eaglais an dèanadh tu adhradh?"

Thàinig sealladh fad às na sùilean. "A-muigh air a' mhòintich, aig aonan dhe na seann chearcaill chlachan a chì thu uaireannan. Bhiodh dìreach a' ghealach agus na rionnagan os ar cionn, bhiodh a' ghaoth a' sèideadh . . ."

"Agus bhiodh sibh uile rùisgte, a' dannsa timcheall ann an cearcall, deiseil tha fhios, chan ann tuathal . . ."

Rinn i snodha-gàire. "O nach eil fhios agad, agus bhiodh sinn uile làn aoibhneis agus a' faireachdainn saor agus beò agus . . . faisg air Dia."

Sin far na chrìochnaich an còmhradh. Thàinig Ailig a-staigh agus thòisich iad a' bruidhinn air rudeigin eile. Bu thoigh leis a bhith air barrachd fhaighinn a-mach mu a beachdan agus a creideamh. Nam biodh for aige dè bha a' dol a thachairt . . . Ach 's e smuain amaideach a bha sin. Nam biodh for aige gun robh leithid a' dol a thachairt bhiodh e air dèanamh cinnteach nach biodh e air tachairt . . .

Nuair a ràinig e an eaglais bha i air lìonadh. Chunnaic e gun robh aon suidheachan faisg air a' chùl nach robh buileach làn agus bhrùth e a-staigh ann. Cho fad 's a chitheadh e 's e luchd-obrach bho CML a bha anns a' mhòr-chuid de na bha an làthair. Aig an aghaidh chitheadh e dà shuidheachan le càirdean Lili agus a màthair nam measg. Bha an eaglais sàmhach ach airson casad do-sheachanta a dhèanadh cuideigin. Chunnaic e le toileachas gun robh Ailig ann, trì suidheachain air a bheulaibh.

Chùm na facail anns an leabhar-latha a' tighinn air ais thuige, 'Cunnart, cunnart mòr I.M.' Bha sin a' cur dreach tur eadar-dhealaichte air cùisean. 'S dòcha nach do mharbh i i fhèin idir, a dh'aindeoin 's na thuirt na poilis. An deachaidh a murt? Ach Cò? Carson? agus Ciamar? Cha robh freagairt aige dha gin de na ceistean sin; chan e a-mhàin freagairt, cha robh beachd sam bith aige càit an tòisicheadh e. Smaoinich e mar a fhuair e i na laighe agus am botal philichean ri a taobh. Cha robh sanas gun deach buntainn dhi ann an dòigh sam bith no gun robh spàirn no làmhachas-làidir air a bhith ann. Agus 's e co-dhùnadh a' phostmortem gun do mharbh i i fhèin. Bha rudeigin fada ceàrr, ach cha b' urrainn dha a ràdh dè.

Thàinig smuain oillteil thuige: mas e a murt a bh' ann, am buineadh am murtair do CML? An robh e no i 's dòcha na shuidhe faisg air anns a' choitheanal? Bha faisg air dà cheud duine ag obair dhan Chomann. Cha robh e eòlach ach air earrann dhiubh, ach thòisich e a' coimhead air an fheadhainn a dh'aithnicheadh e le sealladh às ùr. Cò nam measg a b' urrainn murt a dhèanamh? Cò bhiodh ag iarraidh Lili a mharbhadh agus carson? Cha b' urrainn dha smaoineachadh air duine no air adhbhar.

Thàinig am ministear a-staigh agus dhìrich e chun na cùbaid. 'S e duine òg a bh' ann. Dhrùidh faireachdainn na h-eaglais agus a' choitheanail air. Sàmhachd. Foighidinn. Urram dhan bhàs. Ach 's dòcha gur e dìreach a mhac-mheanmna a bha sin. Chuimhnich e air na tìodhlacaidhean aig an robh e anns an Eilean Sgitheanach na òige. 'S ann mar sin a bha e gun teagamh. Sàmhachd – mar a bha dligheach. Foighidinn. Urram dhan bhàs. A' suidhe, a' cuimhneachadh air an neach a dh'fhalbh. Agus bha a h-uile duine anns an eaglais, an ìre mhath, eòlach air a chèile agus eòlach air an neach nach robh maireann.

Bha seo diofaraichte. An àite craobh bhon aon fhreumh, mar a bha baile Gàidhealach, bha iad an seo às a h-uile ceàrna – à Sasainn agus bho air feadh Alba. Diofar fhreumhan, diofar fhaireachdainnean, diofar fheallsanachdan. Mòran dhiubh cha bhiodh iad eòlach air Lili, nam faithnicheadh iad idir i.

Bha seinn ann. Bha ùrnaigh ann. Bha seinn ann. Anns an ùrnaigh thuirt am ministear rudan brèagha mu Lili. "Tha ar cridheachan uile goirt," thuirt e, "nuair a bhios flùra àlainn air a ghearradh sìos. Ged nach eil sinne a' tuigsinn nan nithean sin, tha sinn a' creidsinn gu bheil Tì ann a tha a' riaghladh agus a tha a' tuigsinn gach uile nì. Tha sinn a' smaoineachadh orrasan aig an àm seo a bha faisg oirre. A Dhè na tròcair, cuidich iad aig an àm chràiteach a thàinig thairis orra. Is tusa gu fìrinneach Dia Israel air nach aom cadal no suain, agus faodaidh sinn a bhith cinnteach gum bi iad uile agad nuair a nì thu suas do threud. Cha tèid gin dhiubh a dhìth. Ma tha, biodh creideamh againn annadsa, a Thì naoimh, creideamh gun tuig sinn aon latha na nithean a tha dorcha an-dràsta agus gun teich na sgàilean air falbh."

"Amen," thuirt Iain Murchadh fo anail, "amen."

"Amen," thuirt guth air a chùlaibh. Bha e a' smaoineachadh gur e Mgr Crombie a bh' ann.

6

Bha an dachaigh aig Jane Harthill dhà no trì mhìltean a-mach à Inbhir Nis air an rathad dhan Mhanachainn. Bha i air a bhith ann còig bliadhna. Ron sin bha i air a bhith ann an sgìre Shruighlea, far an deach a togail agus far an robh i ag obair na gàirnealair airson bhliadhnaichean. Aig an àm sin, thòisich i ag ionnsachadh mu leigheasan leth-phroifeiseanta mar massage agus reflexology agus an uair sin ghabh i ùidh mhòr ann an eòlas-inntinn, gu h-àraidh suainealas agus a bhith toirt duine air ais gu àm eile na bheatha no eadhon gu nuair a bha e no i beò ann am bodhaig eile. Fhuair i a-mach gun robh gibht aice airson leithid de dh'obair. Bha e a' còrdadh rithe a bhith ag obair gu dlùth le daoine agus a' faighinn eòlas air dè bha a' dèanamh dragh dhaibh no dè bha gan dèanamh toilichte.

Ach cha b' e sin a-mhàin a ghluais i gu a h-obair mar ghàirnealair a leigeil seachad. Cha b' e idir. A-riamh on bha i òg, bhiodh a pàrantan ga toirt tuath a dh'Inbhir Nis air saor-làithean. Bha a màthair a' teagasg eachdraidh ann an àrd-sgoil agus bha ùidh mhòr aice ann an eachdraidh Alba ach gu h-àraidh Inbhir Nis agus na Gàidhealtachd. Bhiodh a màthair 's a h-athair, a bha na dhotair, a' dèanamh tòrr coiseachd air an dùthaich agus bha iad le chèile dèidheil air saoghal nàdair. B' e sòisealaich a bha san dithis aca agus bha beachdan làidir aca a thaobh calpachais agus marsantachd eadar-nàiseanta. Dhrùidh seo gu mòr air inntinn na nighinne aca.

Bhiodh i a' dol air ais na mac-meanmna gu na meadhan aoisean nuair a chaidh Inbhir Nis a stèidheachadh an toiseach mar bhurg rìoghail anns an dara ceud deug. Dh'inns a màthair dhi eachdraidh a' bhaile tro na linntinn agus mar a dh'fhàs e beag air bheag gus an robh e na bhaile mòr.

"Tha snàithlean a' ruith tro eachdraidh a' bhaile seo, mar a tha tron a h-uile baile eile."

"Dè tha sibh a' ciallachadh?" dh'fhaighnich a nighean.

"*Tha* malairt is marsantachd. Bha na burgairean 's na marsantaich ag iarraidh airgead a dhèanamh. B' e malairt an rud bu chudromaiche dhaibh. Bha trì bàtaichean a' seòladh à Inbhir Nis ann an 1382 gu mòr-thìr na h-Eòrpa le stuthan mar clòimh, seiche agus bradan saillte. Beag air bheag dh'fhàs a' mhalairt agus àireamh an t-sluaigh, bho mu 8, 000 ann an 1801 gu mu 21, 000 ann an 1921 agus a-nis bidh e nas fhaisge air 50, 000 agus ag èirigh gach bliadhna."

Bha iad nan seasamh air an drochaid mu choinneamh Sràid na Drochaid. Cha robh sgeul air seann togalaichean a bh' ann nuair a thàinig iad air a' chiad turas a dh'Inbhir Nis. Chaidh an sracadh sìos agus nan àite bha bogsaichean concrait agus glainne.

"Am faca tu rud riamh cho grànda?" ars a màthair. "Agus ann an aon dhiubh sin tha Comann Mòr an Leasachaidh." Dh'inns i dhi mun Chomann, mar a chaidh a chur air bhonn airson a' Ghàidhealtachd a leasachadh. Air feadh an t-saoghail, mhìnich a màthair, bha an aon rud a' tachairt, companaidhean mòra agus beag a' strì ri chèile airson airgead a dhèanamh. Cha robh eachdraidh no seann togalaichean no cànan no cultar a' ciallachadh dad dhaibh fhad 's a bha iad a' faighinn prothaid agus airgead, ach ars a màthair gu dorcha, "Tha an teas sin a' dol a chur às dhan t-saoghal."

"Dè tha sibh a' ciallachadh le 'teas'"?

"Tha mi cho toilichte gun do dh'fhaighnich thu sin," thuirt a màthair, agus thòisich i ag innse dhi mar a bha gasan mar CO_2 a' dol dhan èadhar agus a' toirt air an àile fàs blàth. Mar a bha na coilltean mòra a bha a' sùghadh a-steach an CO_2 gan gearradh sìos agus sin a' dèanamh cùisean nas miosa. Mar a bha an deigh aig a' Phòla a Tuath a' tòiseachadh air leaghadh. Bheireadh sin mu dheireadh thall air ìre na mara èirigh air feadh an t-saoghail. "Agus a bheil fhios agad," thuirt i le dùrachd na guth, "'s iad na daoine bochda as motha a dh'fhuilingeas."

"Ciamar tha sin?"

"Tha dùthchannan ìosal ann mar Bangladesh far a bheil mòran dhaoine bochda agus ma dh'èireas ìre na mara tha teansa mhath ann gum bi tuiltean ann 's gun tèid am bàthadh no feumaidh iad gluasad gu talamh nas àirde."

Dh'inns i dhan nighean aice cuideachd an ceangal a bha ann eadar dòigh-beatha agus blàthachadh na cruinne; mar a bha losgadh connadh nam fosail a' cur ris a' bhlàthachadh sin.

"Tha a h-uile nì a tha sin ag èirigh à sannt," mhìnich i. "Na dùthchannan beairteach ag iarraidh barrachd is barrachd, a' cosg barrachd is barrachd is gun iad a' cur càil na àite."

Thug na thuirt a màthair rithe buaidh mhòr oirre. Mar a chaidh na bliadhnaichean seachad thòisich i a' tuigsinn dè bha i a' ciallachadh an latha ud ann an Inbhir Nis agus i dìreach còig

bliadhna deug a dh'aois agus iad a' seallatainn le uabhas air an
t-seann chaisteal – nach robh cho sean – agus air an t-saoghal
ghleansach ùr a bha a' breabadh an t-seann fhir à sealladh.

Bha i a-nis na suidhe anns an taigh aice a' seallatainn a-mach
air Poll an Ròid no Linne Fharair, mar a chanadh cuid ris. Bha sin
fhèin ag atharrachadh, drochaid a-nis tarsaing a' chaolais eadar
Ceasag a Deas agus Ceasag a Tuath no Port Cheasaig agus Aiseag
Cheasaig mar a chanadh iad riutha mus tàinig an drochaid. Bha
dìreach ceithir bliadhna on chaidh an drochaid fhosgladh agus
a-nis bha slighe dhìreach aig càraichean gu tuath thairis air an
Eilean Dhubh. Bha an rathad dhan Mhanachainn air fàs sàmhach
an taca ri mar a bha e. Cha robh i duilich mu dheidhinn sin. Bha
fois agus sàmhchair a' còrdadh rithe.

Fois agus sàmhchair, ach aig an aon àm an-fhois mu
dheidhinn na bha a' tachairt dhan t-saoghal. Gun teagamh, bha
an saoghal a' dol a bhlàthachadh chun na h-ìre agus nach eil fhios
dè thachradh mura dèanadh daoine rudeigin mu dheidhinn. Bha
i cinnteach à sin.

Ach dè a b' urrainn dhìse, Jane Harthill, a dhèanamh gus an
saoghal a chuideachadh agus a shàbhaladh bhon sgrios cinnteach
a bha a' tighinn air? B' e sin a' cheist a bha a' lìonadh a beatha –
gach uair agus mionaid dhen latha. Agus bha i a' smaoineachadh
gun robh seòrsa de fhreagairt aice. Dh'fheumadh an dòigh-
smaoineachaidh aig daoine atharrachadh gu bunaiteach. Agus
nach robh i fortanach gu robh i air dòigh fhaighinn gus sin a
dhèanamh. Anns an dreuchd a bha aice a-nis dh'fhaodadh i rud
beag air choreigin a dhèanamh airson a' phlanaid a shàbhaladh.

7

Cha d' fhuair Iain Murchadh cothrom bruidhinn ri màthair Lili aig an tiodhlacadh. Chan fhaca e idir i aig a' chladh agus cho-dhùin e gun deach i dhachaigh. Thàinig Mgr Crombie a bhruidhinn ris aig doras na h-eaglais. "Fhuair mi an litir agad. Bu toigh leam bruidhinn riut. Am b' urrainn dhut tighinn chun na h-oifis agam a-màireach aig naoi uairean?"

Ghnog e a cheann. "Ma tha sibh ag iarraidh. Ach tha fhios agaibh gu bheil mi ag iarraidh fàgail."

"Tha fhios a'm air sin," arsa Crombie gu goirid, "ach bu toigh leam d' fhaicinn."

"Glè mhath ma-thà."

Agus 's ann mar sin a chrìochnaich an còmhradh.

"Na bodraig mu dheidhinn-sa," arsa Ailig anns an taigh-òsta às dèidh an tiodhlacaidh. "Chan eil sgot aige."

Bhruidhinn e mu dheidhinn obair a' Chomainn agus cho cudromach 's a bha dreuchd a' Cheannaird ach mar a bha cuid a' cur uibhreachd air Mgr Crombie o chionn mhìosan. Nuair a chaidh a chur dhan dreuchd, b' e beachd mhòrain gun robh e a' toirt taic mhòr do dh'fheallsanachd Mhairead Thatcher. 'S e bha dhìth air a' Ghàidhealtachd ach airgead agus gnìomhachas agus luchd-gnothaich agus daoine a' seasamh air an casan fhèin. Bha cus leisgeadairean anns an Roinn, gu h-àraidh air a' chost an iar. Nach e sin a bha gam fàgail cho bochd agus cho fada air ais. Agus chaidh e ris an obair le uile neart, a' piobrachadh chompanaidhean gus tighinn chun na sgìre agus a' toirt cuideachadh airgid do dhuine sam bith le "sgoinn agus tuigse" mar a chanadh e fhèin.

Ach a-nis, cha robh e idir cho dian 's a b' àbhaist dha a bhith. Bha cagar a' dol mun cuairt gun robh e air fàs bog. Bha feadhainn fiù 's ag ràdh gun cuala iad gun robh e ag ràdh gun robh cultar cha mhòr a cheart cho cudromach ri gnìomhachas agus gum feumar sùil gheur a thoirt air mar a bha an Comann ag obair.

"Tha mi a' dol a dh'fhàgail co-dhiù," thuirt Iain Murchadh, "ge brith dè thachras. Cha b' urrainn dhomh bhith 'g obair an siud tuilleadh às dèidh na thachair."

Cheannaich Ailig an deoch – dà phinnt – is shuidh iad aig bòrd. Ged a bha e tràth san fheasgar, bha an t-àite letheach làn le luchd-turais agus daoine à Inbhir Nis fhèin. Shuidh iad ann an oisean air falbh bhon bhàr far am faigheadh iad fois bruidhinn. 'S e duine beag, tuigseach, càirdeil a bh' ann an Ailig. Càil sam bith a chuireadh e a làmh ris dhèanadh e le uile chridhe. Bha e ag obair ann an Roinn Turasachd a' Chomainn. Bha làn earbsa aig Iain Murchadh ann.

"Tha mise coltach riut fhèin," thuirt Ailig nuair a shuidh iad. "Chan eil mi a' tuigsinn idir carson a chuireadh Lili làmh na beatha fhèin."

"'S dòcha nach do chuir . . ."

Thug a charaid sùil chruaidh air. "Dè tha thu a' ciallachadh?"

Thug e an leabhar-latha a-mach às a phòcaid agus sheall e do dh'Ailig e. "Thoir sùil air seo."

Leugh e e le iongantas mòr. "Murt," thuirt e fo anail. "'S e murt a bh' ann." Sheall e air gu mì-chreidmheach. "Cò bhiodh ag iarraidh a murt?!"

"Chan eil fhios againn an e murt a bh' ann. Tha e dìreach ag ràdh 'Cunnart, cunnart mòr IM,' ach chan eil fhios againn dè seòrsa cunnairt." Dh'inns e dha Ailig a h-uile càil a thachair bho thùs gu èis, mar a chaidh e dhachaigh bho obair Dihaoine agus a fhuair e marbh i, mar a chaidh a cheasnachadh leis na Poilis agus às dèidh sin mar a fhuair e an leabhar sa chàr.

"An robh nàimhdean sam bith aice?"

Chrath e a cheann. Thug e balgam às an leann. Thug e an aire gun robh Ailig a' coimhead teagmhach.

"Tha thu cinnteach?" thuirt e gu ceasnachail.

"Tha," thàinig am freagairt. Ach cha robh cus ùghdarrais air cùl nam briathran.

Smaoinich e air ais gu nuair a fhuair e i na laighe marbh. Nam b' e murt a bh' ann, ciamar nach robh sgeul gun robh spàirn sam bith air a bhith ann? Dh'inns e do dh'Ailig na teagamhan a bh' aige.

"Tha thu ceart. Chan eil ciall sam bith ann," dh'aidich e. "Chan urrainn dhomh a thuigsinn ciamar a bheireadh duine oirre pilichean a ghabhail an aghaidh a toil, pilichean a bha a' dol ga marbhadh."

Bha iad a' còmhradh air ais 's air adhart airson greis, a' feuchainn ri smaoineachadh air dòigh anns an gabhadh i pilichean an aghaidh a toil gun dochann sam bith a bhith follaiseach, gu h-àraidh nan robh cuideigin a' feuchainn ri a marbhadh. Cha robh e coltach gun tachradh a leithid.

"Jane Harthill. An cuala tu riamh mu deidhinn?" dh'fhaighnich

Iain Murchadh. Agus sheall e do dh'Ailig cho tric 's a bha a h-ainm anns an leabhar-latha.

"Gu dearbha chuala. Bidh daoine bhon Chomann a' dol thuice corra uair."

"A' dol thuice . . .?"

"Aidh. Bidh i a' leigheas dhaoine – massage, a' brùthadh bonn do chois – reflexology, eil fhios agad – agus gad chur ann an neul agus ga do thoirt ais ais . . . rudan mar sin."

"A bheil thu ciallachadh suainealas, hypnosis?"

"Tha, regression hypnosis. Bidh i ga do thoirt air ais, ma tha thu ag iarraidh, gu àm nuair a bha thu beò roimhe."

Choimhead e air Ailig gu mì-chreidmheach. An robh a charaid a' creidsinn anns an leithid? O fhuair e eòlas air bha e a' sealltainn air mar neach a bha a' faicinn an t-saoghail tro speuclairean reusanta. Duine nach toireadh àite do shaobh-chreideamh sam bith. Duine a bheireadh an aon àite do chreideamh ann an ath-bhreith 's a bheireadh e do chreideamh ann an sìthichean. Cho fad 's a chitheadh e bha a charaid a' coimhead air daoine a bha a' creidsinn a leithid mar dhearg amadain no, co-dhiù, mar dhaoine a bha soirbh an car a thoirt asta.

"Am bi thu fhèin a' dol air ais?"

Rinn Ailig gàire. "Cha bhi gu dearbh. Cha deidhinn faisg oirre. Tha fhios agad fhèin nach eil mise a' creidsinn ann an leithid de rud."

B' àbhaist dha fhèin a bhith mar sin. Chuimhnich e agus e na òganach a bhith a' smaoineachadh air cho glic 's a bha saidheans agus cho gòrach 's a bha saobh-chràbhadh sam bith, no eadhon creideamh ann an anam no càil mar sin. Nach robh luchd-saidheans air a h-uile càil a mhìneachadh agus air sealltainn gun robh a h-uile nì nàdarrach. Nach robh iad air sealltainn mar a bha mìrean gach uile stuth ag obair: iad air stuth na cruinne a thoirt às a chèile agus air cur an cèill mar a bha na h-ataman fhèin ag obair. Cha robh ann an spiorad ach faoin-chreideamh. Agus smaoinich e cho dubh 's a bha an saoghal dha aig an àm sin. Cha robh dìomhaireachd air fhàgail. Cha robh anns a h-uile nì ach sgiamh gun abhsadh, mar anns an dealbh aig Munch. Falamhachd gun ghrunnd.

Cha robh e a' smaoineachadh mar sin tuilleadh. Bha e mar gun robh sìorraidheachd air a dhol seachad bhon àm ud. Ciamar a b' urrainn dha a bhith cho baoth. A-nise bha e a' faicinn an t-saoghail mar mhìorbhail aig nach robh grunnd 's gun ann an saidheans ach leanabh beag a' cluich le dèideagan ri oir a' chuain.

Chaidh sgàil thairis air aodann Ailig. Choimhead e anns an leann aige. Cha tuirt e guth airson greis. Mu dheireadh thuirt e: "Feumaidh mi rudeigin innse dhut. Cha robh mi ag iarraidh rona seo . . ."

Stad e agus ghabh e deoch fhada dhen leann. Bha Iain Murchadh a-nis a' dannsa ri fhaileas.

"Dè th' ann? Siuthad, innse dhomh," ghuidh e.

Choimhead Ailig sìos ris an làr. "Mus tàinig thusa dhan Chomann, bha Crombie agus Lili a' dol a-mach còmhla. Tha mi duilich . . ."

Bha an naidheachd mar bhreab dha an clàr an aodainn. Thàinig glacadh na anail. An toiseach cha b' urrainn dha guth a ràdh. Bha am fiosrachadh seo a' sùghadh a-staigh ann mar gum biodh puinnsean neo-aithnichte 's ga fhàgail tinn. An saoghal ris an robh e cleachdte a' snàmh bhuaithe mar aisling. A chasan a' falbh bhuaithe agus an earbsa a bh' aige ann an daoine agus ann an nithean a' tuirling à sealladh. Ciamar a b' urrainn dhìse a leithid a dhèanamh?

"Dè!" thuirt e mu dheireadh le sgreamh, "Crombie agus Lili."

Nam b' e duine sam bith eile a bha air a bhith ann, ghabhadh e a chreidsinn. Ach Crombie! Duine aig nach robh spèis do nì ach airgead is cunntasachd: fear-poilitigs a bheireadh breith agus a dhèanadh co-dhùnadh a rèir dè bha goireasach aig an àm, chan ann a rèir dè bha ceart gu moralta. Meangan a' lùbadh leis a' ghaoith. Ciamar a dheigheadh i còmhla ri leithid de dhuine? Agus e pòsta cuideachd. Chuir e drèin air, a' cuimhneachadh gun robh esan e fhèin pòsta.

Chuir Ailig a làmh air a ghualainn. "Tha mi duilich. Tha fhios a'm ciamar a tha thu a' faireachdainn. Cha robh mi ag iarraidh innse dhut ach às dèidh na thachair . . . well . . . bha mi faireachdainn . . ."

Bha rudeigin na ghnùis a chuir glamhadh na bhroilleach. Cha b' urrainn dha an smuain a bha ag èirigh na inntinn fhèin a chreidsinn. "Chan eil thu a' smaoineachadh gun do mhurt e i . . . ri linn 's gun robh e ag eudach rium mu deidhinn, eil fhios agad . . ."

Rinn Ailig gàire ge b' oil leis. "Crime passionnel! Bheil thu fhèin a' creidsinn gu bheil de dhoimhneachd fhaireachdainn san duine?"

Bha aige ri aontachadh gum biodh e fìor neònach – a rèir choltais co-dhiù – do dhuine mar Crombie murt a dhèanamh air sgàth gaoil. Ach cò aige bha fios? Chuimhnich e an seanfhacal, 'Na toir breith air rèir coltais.'

Dh'fhàs aodann Ailig dorcha a-rithist. "Tha rudeigin eile a dh'fheumas mi innse dhut. Bha Crombie e fhèin a' dol gu Jane Harthill. Na faighnich dhìom carson, ach bha e dol ann."

Thàinig an glamhadh na chridhe a-rithist. Bha e a' fàs na b' fhollaisiche dha gach mionaid gu feumadh e coinneachadh ri Jane Harthill, às brith cò i. Dh'inns Ailig dha na b' urrainn dha mu deidhinn, gun robh i a' fuireach pìos a-mach à Inbhir Nis air rathad na Manachainn agus dh'earalaich e dha fònadh thuice an toiseach airson àm a shuidheachadh coinneachadh rithe.

Bha iad air a bhith sa Phoenix uair a thìde no dhà a' bruidhinn air ais 's air adhart, ach ged a bha e taingeil gun robh Ailig aige airson còmhradh ris ann an doimhneachd mu na thachair, cha robh cùisean air fàs dad na bu shoilleire dha. Bha an naidheachd a bha aige mu Chrombie agus Lili air dragh a dhèanamh dha. Carson nach robh Lili air innse dha gun robh i a' dol a-mach le Raghnall Crombie, Ceannard a' Chomainn? Bha dùil aige gun robh i ag innse a h-uile càil dha agus bha earbsa air a bhith aige innte. Mus deigheadh e a dh'fhaicinn Jane Harthill, dh'fheumadh e a dhol a dh'fhaicinn màthair Lili agus a bràthair Daibhidh, a bha na mhiseanaraidh ann an Uganda. Cha robh e riamh air coinneachadh riutha. Cha robh fios aige an toireadh iad soilleireachadh sam bith dha air dad dhe na thachair. Ach bha e a' faireachdainn gum bu chòir dha co-dhiù coinneachadh ri màthair Lili, ged nach biodh ann ach airson innse dhi dè gu dearbha a thachair an oidhche a lorg e an nighean aice marbh. Agus nam biodh fios aig duine sam bith carson a mharbh i i fhèin, mas e a marbhadh fhèin a rinn i, 's ann aicese, a màthair, bu bhuailtiche fios a bhith.

8

’S e boireannach làidir a bh’ ann an Anna NicLeòid, màthair Lili. Bha i làidir na bodhaig agus na h-inntinn, agus cha robh dà thaobh oirre – chanadh i an rud a bha i a’ smaoineachadh. Le a h-aghaidh aoigheil, fhosgailte, bha mòran ann mu a deidhinn a bha tlachdmhor. Ban-Sgitheanach a phòs Hearach. Bha Dòmhnall Iain air a bhith na phoileas ann an Glaschu airson deich air fhichead bliadhna agus nuair a leig e dheth a dhreuchd cho-dhùin iad gum biodh e math a dhol a dh’fhuireach a dh’Inbhir Nis. Bhiodh iad na b’ fhaisge air na càirdean anns na Hearadh agus san Eilean Sgitheanach agus cuideachd bha an dithis aca a’ smaoineachadh gur e baile math a bhiodh ann airson daoine a bha a’ fàs beagan sean mar iad fhèin agus a bha a’ leigeil dhiubh an dreuchd. Agus cuideachd bha an nighean aca air obair fhaighinn le buidheann leasachaidh sa bhaile agus dh’fhaodadh i fuireach còmhla riutha seach nach robh i pòsta.

Chan e baile ro mhòr a bh’ ann, ach an dèidh sin bha a h-uile goireas ann faisg air làimh, bùithtean, ospadail, dotairean agus an eaglais. Agus bha iad air taigh snog fhaighinn ann an sgìre a’ Chrùin. Chan e taigh ùr ach aon de na seann taighean cloiche faisg air Taigh-òsta Heathmount. Chaidh an taigh a thogail ann an linn Bhictòria agus bha e cho eadar-dhealaichte bho na taighean ùra a bha a' dol suas agus a ghabhadh a bhith. Bha mòran thaighean ann an Inbhir Nis bhon linn sin agus b' e sin aon de na rudan mun bhaile a bha a' còrdadh riutha. Bha na taighean cho brèagha 's cho susbainteach an tacsa ris na togalaichean aotrom, neo-sheasmhach a bhathar a' cur suas san latha an-diugh.

Bha an ailtireachd na samhla air mar a bha a h-uile càil ag atharrachadh – coimhearsnachd is dàimh is daoine – iad a' fàs nas faoine agus nas coma co-dhiù. Bha cuimhne aice a bhith a' bruidhinn ri a mac mun dearbh chuspair nuair a bha e dhachaigh à Uganda, far an robh e na lighiche 's na mhiseanaraidh.

"Tha fhios a'm, a mhàthair, tha sibh ceart; tha an dòigh-smaoineachaidh a th' aig daoine a' ceangal a-staigh ris an ailtireachd. Tha an ailtireachd na fhaileas den anam. Ach chan urrainn dhuinn an cloc a chur air ais."

"A bheil t-anam a' fàs faoin agus aotrom cuideachd?"

"Chan eil daoine fiù 's a' creidsinn gun bheil anam aca."

Thuirt e sin agus fios glè mhath aige gun robh i fhèin agus athair gu math traidiseanta nam beachdan. Bha an corp agus an t-anam ann a chaidh a chruthachadh le Dia agus bhiodh an t-anam a' dol a nèamh no a dh'Ifrinn às dèidh a' bhàis.

"Tha a' bhuil," thuirt i, agus bha a h-aodann a' cur an cèill cho leamh 's a bha i mu mar a bha an saoghal ag atharrachadh timcheall orra. Bhiodh i tric a' smaoineachadh air ais gu làithean sona a h-òige anns an Eilean Sgitheanach nuair a bha a h-uile càil cho seasmhach agus cho cinnteach. A-nis bha a h-uile dad a' tuiteam às a chèile. Nuair a ghluais iad a dh'Inbhir Nis o chionn còrr agus dà bhliadhna air ais bha i coimhead air adhart ris an dithis aca – i fhèin agus Dòmhnall Iain – bliadhnaichean sona a chur seachad còmhla, ach cha robh e san dàn. Cha robh bliadhna aig a ceann às dèidh dhaibh imrich à Glaschu nuair a bhuail grèim-cridhe an duine aice agus chaochail e gu h-aithghearr.

Bha còrr is bliadhna gu leth on latha a thachair e, on latha a chaill i an caraid a b' fheàrr a bh' aice san t-saoghal mhòr, an leannan a bh' aice bho làithean a h-òige. Chan fhaigheadh i seachad air gu bràth. Bha fios aice air sin. Bhiodh i an-còmhnaidh ga ionndrainn. Ach bha tìm na lighiche agus bha an creideamh a bh' aice na dhaingneachd dhi agus bha Dia na chòmhnadh agus beag air bheag bha am pian 's an t-ionndrainn air a bhith a' lùghdachadh beagan, ged bu bheagan e.

Ach a-nis bha i air a bhith aig tiodhlacadh eile agus ge b' oil leatha cha b' urrainn dhi na deòir a chasg. Cha b' e dìreach am bàs fhèin ach an suidheachadh a bha a' cuairteachadh a' bhàis. Bha Daibhidh na sheasamh ri a taobh anns a' chidsin. Chuir e làmh air a gualainn airson a cofhurtachadh. Cha robh esan e fhèin a' tuigsinn a' ghnothaich idir. Bha e fhèin agus a phiuthar, a bha dà bhliadhna na b' òige, air a bhith glè fhaisg aig a chèile nuair a bha iad a' fàs suas. Agus ged a bha iad air fàs na b' fhaide bho chèile, gu h-àraidh nuair a chaidh e a-staigh airson na ministrealachd, bha iad gu math càirdeil gach uair a choinnicheadh iad. Agus bha spèis aige dhi. Bha e an-còmhnaidh dhen bheachd gun robh i glic na dòighean agus balaisteach, ged a dh'fhaodadh i a bhith gu math spòrsail cuideachd. Cha b' urrainn dha a chreidsinn nuair a chuala e gun do chuir i às dhi fhèin.

"Tha mise coltach riut fhèin, a mhàthair," thuirt e mu dheireadh. "Chan eil mi a' tuigsinn carson a chuireadh Lili às dhi fhèin. Chan eil e dèanamh ciall."

"Chan eil fhios agadsa air a leth . . .," fhreagair i agus a guth a' briseadh.

Thug e a làmh far a gualainn agus sheas e air a beulaibh. Choimhead e oirre gu ceasnachail. "Dè tha sibh a' ciallach-achadh?"

Chuimhnich i mar a fhuair i a-mach an toiseach mun dol a-mach a bha aig an nighinn aice. Mar a dh'inns banacharaid às an Eilean Sgitheanach a bha a' fuireach an Inbhir Nis agus aig an robh nighean a bha ag obair aig CML mu Lili dhi; mar a bha i a' dol a-mach le daoine pòsta. Ise a chaidh a thogail fon t-Soisgeul. An sìol a chuireas duine . . .

"Thàinig atharrachadh mòr air Lili bhon latha a thòisich i ag obair san àite ud . . ."

Bha sùil gheur aig a mac oirre.

Lean i oirre. "Chan e atharrachadh ach cruth-atharrachadh. Sguir i a dhol dhan eaglais. Thaobh i ri saobh-chreideamhan, ach chan e sin uile . . ."

Stad i. Bha am pian a' sealltainn gu soilleir na h-aodann. Sheall e oirre le truas agus co-fhaireachdainn. Chuir e a làmh air a gualainn a-rithist. "Tha fhios gu bheil seo doirbh dhuibh ach ma tha fios agaibh carson a rinn i seo, innsibh dhomh."

Dh'inns i dha a h-uile càil a bha fios aice air. Mar a chuala i bho Oighrig NicDhòmhnaill gun robh Lili a' dol a-mach le fear Crombie a bha na Cheannard air a' Chomann, gun robh i a' dol còmhla ris airson faisg air bliadhna agus an uair sin gun robh i a' dol a-mach le fear Iain Murchadh MacLeòid, a bha na Oifigear a' Chultair no rudeigin neònach mar sin. Ach 's e an rud bu mhiosa, thuirt i ris, gun robh an dithis aca pòsta.

Sheas a mac aig an uinneig a' coimhead a-mach air a' ghàrradh cùil. Chitheadh e na sgòthan glas os cionn a' bhalla aig bonn a' ghàrraidh. Cho aocoltach ri adhar Uganda a bhiodh mar bu trice gorm is soilleir agus a' ghrian làidir a' deàrrsadh sìos gun lasachadh. Ann an seo bha dorchadas a' dùnadh a-staigh air. Bha teannachadh mu a chridhe. Bha e faireachdainn duilich airson a mhàthar. Cha robh sìon a dh'fhios aige dè chanadh e rithe.

Nuair a chuala e an toiseach gun robh a phiuthar air i fhèin a mharbhadh, cha b' urrainn dha a chreidsinn. Lili a' dol ga marbhadh fhèin, cha ghabhadh e a bhith. Ach 's e a mhàthair fhèin a bha air ceann eile a' fòn agus chan innseadh ise breug gu bràth, gu h-àraidh mu rud mar siud. Fhuair e plèana gun dàil a Lunnainn agus an uair sin gu Inbhir Nis. Bha deireadh-seachdain duilich air a bhith aige fhèin 's a mhàthair ach bha iad trang cuideachd. Ag ullachadh airson an tiodhlacaidh agus daoine a' tighinn chun an taighe ag ràdh cho duilich 's a bha iad mu Lili, oir bha mòran dhaoine measail oirre agus i cho faisg agus cho càirdeil.

Bha e an-còmhnaidh doirbh aig àm mar seo fios a bhith agad dè chanadh tu ri daoine agus bha a' cho-fhaireachdainn a bha aca riut ga dhèanamh nas duilghe buileach. Bha seo gu h-àraidh fìor a thaobh a mhàthar. Bha i air a bhith a' dèanamh tòrr gal. Ged nach robh e a' smaoineachadh oirre riamh mar thè a bhiodh a' caoineadh. Bha an naidheachd mu dheireadh a bha seo, gun robh a phiuthar a' dol a-mach le fireannaich phòsta na bhriseadh-dùil mòr dha. Agus bha rudeigin ann air cùl inntinn a' dèanamh dragh dha, agus cha b' e a-mhàin gun do mharbh i i fhèin no eadhon gun robh i a' dol a-mach le daoine pòsta. Cha b' e, cha b' e sin a bh' ann ach rudeigin eile ... ach cha b' urrainn dha a chorrag a chur air.

Smaoinich e gur dòcha gur e e fhèin a bh' ann. Uaireannan nuair a bhiodh rud uabhasach a' tachairt ann am beatha duine, bhiodh e a' cur fiaradh air an inntinn. Bha fios aige gun robh a thaobh a-staigh na bhrochan agus a-nis bha an naidheachd uabhasach a bha seo ann bho a mhàthair.

Thionndaidh e thuice bhon uinneig. "Tha mi duilich," thuirt e. "Tha sin ga dhèanamh nas miosa, gun robh i mar sin."

Choimhead e oirre agus a sùilean cho dearg. "Dè a rinn mi ceàrr?" thuirt i. "Dè, a Dhaibhidh, a rinn mi ceàrr?"

Rug e oirre na ghàirdeanan agus dh'fhàisg e thuige i. "A mhàthair, a mhàthair," thuirt e cho còir socair 's a b' urrainn dha, "na bi a' cur na coire idir, idir oirbh fhèin. Chan eil fhios againn dè as coireach gun do thachair seo, ach bithibh cinnteach à aon rud, cha b' e ur coire-se a bh' ann idir."

Às dèidh sin a ràdh, chaidh an dithis aca balbh. Chùm iad grèim air a chèile airson greis, a' faighinn cofhurtachd bho bhith an glacan a chèile. Bha iad mar sin nuair a sheirm clag an dorais. Leig a mac às a mhàthair agus chaidh e air a shocair chun an dorais aghaidh. Cò bha seo a-nis? Carson nach fhàgadh daoine aig fois iad, co-dhiù airson latha no dhà?

"Gheibh mi fhìn seo," thuirt e ri mhàthair. "Theirigeadh sibhse dhan leabaidh airson greis. Chan eil adhbhar sam bith ann dhuibh bruidhinn ri daoine. Siuthadaibh."

Chaidh i troimhe dhan t-seòmar-cadail, toilichte gun robh a mac cho cùramach mu a deidhinn. Cha b' urrainn dhi dèiligeadh ri duine sam bith anns an staid san robh i.

9

Cha robh Iain Murchadh air a bhith riamh ann an dachaigh Lili, ann an taigh a màthar. Bha e mar aonta shàmhach eatarra nach tadhladh iad oirre. Ged nach robh iad air bruidhinn cus mu dheidhinn, bha iad air gu leòr a ràdh airson fios a bhith aca air an t-suidheachadh. Bha Lili air innse dha gun robh a màthair a' dol dhan Eaglais Shaoir agus gun robh i a' leantainn agus gun robh bràthair aice a bha na dhotair agus na mhinistear ann an Afraca. Ged nach robh iad ag iarraidh aideachadh dha chèile, bha fios aca gum biodh ise – agus esan – dhen bheachd gun robh an rud a bha iad a' dèanamh gu tur ceàrr. A' dol a-mach le chèile agus esan – Iain Murchadh – fhathast pòsta.

Smaoinich e gur e aon de na rudan a bha dèanamh Lili tarraingeach dha gun robh i saor, agus saor bho na beachdan seann-fhasanta a bh' aig daoine mar a màthar. Bha e soilleir gun robh saorsa air a bhith cudromach dhi, agus dhàsan cuideachd. Chaidh an togail leis na h-aon luachan, luachan agus moraltachd na h-eaglais ach bha an dithis aca a' smaoineachadh gur e rud sòisealta a bha sin. Carson nach b' urrainn do dhuine a bhith saor agus an rud a thogradh e no i a dhèanamh, an àite a bhith nad thràill do chleachdaidhean agus modhan smaoineachaidh seann-fhasanta?

Agus uaireannan, gu dearbh, air latha brèagha samhraidh
o chionn trì no ceithir a mhìosan agus iad nan laighe taobh ri
taobh agus bus ri bus anns na tomannan gainmhich a-muigh aig
Inbhir Narann dh'fhairich e mìlse na saorsa sin. Dh'fhairich e
ann fhèin i, na chridhe 's na fheòil, agus chunnaic e an aodann
Lili i, aodann a bha làn toileachais agus deagh-ghean. Nach robh
e iongantach a bhith saor agus nàdarrach, a-muigh gu dearbh
anns an fhearann fhosgailte, 's gun nì air thalamh a' dèanamh
dragh dhut.

Ach a-nis agus Lili marbh cha robh e cho cinnteach. Ciamar
a b' urrainn moraltachd a bhith air a stèidheachadh air
faireachdainn? Nam biodh sin fìor bhiodh a mhoraltachd fhèin
aig gach duine. 'S dòcha gun robh adhbharan ann nas doimhne
na faireachdainn – nas doimhne na reusan fhèin – airson
riaghailtean a bhith ann air mar a ghiùlaineas daoine iad fhèin.

'S dòcha gun robh daoine mar màthair Lili ceart às dèidh a
h-uile rud agus gur e esan agus Lili a bha air a bhith ceàrr. Dè
a chanadh e rithe? Dè chanadh i ris? An coimheadadh i air mar
bhrùid shalaich a bha a-mach air a shon fhèin agus a bha air an
nighinn aicese a thoirt a thaobh? Cha robh e a' faireachdainn
cofhurtail idir ann fhèin agus e a' tighinn suas chun an dorais
aice. Bha e a' faireachdainn ciontach agus duilich mu dheidhinn
a h-uile càil a bh' ann agus a' tòiseachadh a' cur na coire air fhèin.
Bha gàrradh beag le preasan ròs aig beulaibh an taighe agus dà
phreas àrd a' dìreadh suas air gach taobh dhen doras ghorm.
Smaoinich e cho snog 's a bha an taigh le a' chloich nàdarra
dheirg; seo far an robh i air a bhith fuireach, gaol a chridhe.
Bhrùth e an clag. Thug e an aire gun robh a làmh air chrith.

Chuir e iongnadh mòr air nuair a dh'fhosgail fireannach

an doras, duine meadhanach mòr mun dà fhichead le aghaidh chàirdeil fhosgailte. Choimhead iad air a chèile gu ceasnachail. Airson tiotan cha tuirt duine guth. Anns na diogan a bha iad a' coimhead air a chèile, bha mìle smuain a' bruthadh a-staigh air inntinn. Chuimhnich e gun robh bràthair aig Lili, dotair ann an Afraca. Am b' e seo e air a bheulaibh?

Mu dheireadh thuirt e, "Am faodainn bruidhinn ri bean-an-taighe?"

"Mo mhàthair. Am bu chòir dhomh ur n-aithneachadh?" ars an duine gu feòrachail.

"Iain Murchadh MacLeòid, caraid do Lili."

Nuair a thuirt e sin shaoil leis gun do dh'atharraich gnùis an fhir eile. "O," thuirt e gu h-aithghearr, "thigibh a-staigh."

Thug e a-staigh dhan t-seòmar-suidhe e agus rinn e soidhne dhan taobh air an robh an t-sòfa. "Dèanaibh suidhe, bidh mi air ais ann an tiotan."

Leig e e fhèin sìos air an t-sòfa bhuig chofhurtail. A thaobh dè seòrsa taigh a bhiodh ann, cha robh fhios aige cò ris a bu chòir dùil a bhith aige. Cha robh e air smaoineachadh mu dheidhinn, ach a-nis thug e sùil mun cuairt agus chuir e beagan iongnaidh air cho ùr, spaideil 's a bha an àirneis agus an rùm fhèin a' coimhead. Bha na dathan uile a' dol còmhla agus b' e dearg agus geal agus sèimh-uaine an co-obrachadh dhathan a bha a' toirt tlachd dhan t-sùil, bho na cùirtearan dearg le flùraichean mòra geala, agus na cuiseanan a' co-fhreagairt orra, chun a' bhrat-ùrlair air dath sèimh-dhearg agus parabolan geala air fheadh.

Bha corra bhall-àirneis sean san rùm cuideachd mar am bòrd leis na casan bogha agus am preasa-leabhraichean, dràthraichean aig a' bhonn agus os cionn sin na leabhraichean air an dùnadh a-staigh air cùl daraich agus glainne. Bha an rùm a' còrdadh ris. Saoil an robh làmh air a bhith aig Lili ann an dad dheth? Cha chuireadh e iongnadh air, oir bhiodh i an-còmhnaidh mean-mhothachail air maise na bha mun cuairt dhi.

Chuala e guthan mùchte bho fad air falbh. Dh'èirich e agus chaidh e a-null chun a' phreasa-leabhraichean. Ma chuir mar a bha an rùm sgeadaichte beagan iongnaidh air, chuir na leabhraichean air na laigh a shùil iongnadh a bharrachd air. *Systematic Theology* le Paul Tillich, *Jung and the Christian Way* agus, fear a chuir tur iongnadh air, *The Divine Milieu* le Pier Teilhard De Chardin. Dh'fhaighnich e dhe fhèin carson a chuir iad leithid de dh'iongnadh air? Agus 's e an fhreagairt gun robh iad ann an taigh màthair Lili, tè a bha a' dol dhan Eaglais Shaoir agus a bha a' leantainn.

Ach 's dòcha gur e fhèin a bha cumhang. Cha robh eòlas sam bith aige air màthair Lili agus cha do dh'inns Lili fhèin dha mòran mu deidhinn. 'S e rud cunnartach a bh' ann breith a thoirt air duine 's gun thu fiù 's air bruidhinn ris no rithe. Bha e cho mòr an sàs ann a bhith coimhead air tiotalan nan leabhraichean 's gun tug e leum às nuair a thàinig an guth air a chùlaibh . . .

"Tha mi duilich, chan eil mo mhàthair a' faireachdainn ro mhath. Tuigidh sibh, tha mi an dòchas, tha latha doirbh air a bhith aice." Rinn e snodha-gàire fann. "Tha mi duilich ma chuir mi eagal oirbh."

"Cha do chuir, cha do chuir, bha mi dìreach a' coimhead air na leabhraichean agaibh. Gu math inntinneach."

Shuidh e air ais air an t-sòfa. Bha e beagan leamh gun deach breith air a' coimhead air na leabhraichean. Bha eagal air gum biodh bràthair Lili a' smaoineachadh gun robh e mì-mhodhail.

"Tha thu coltach rium fhìn, a bheil? Tha ùidh agad ann an

leabhraichean." Agus mar gum biodh e a' leughadh a smuaintean thuirt e, "Tuigidh sibh nach ann le mo mhàthair a tha a' chuid as motha dhiubh ach leam fhìn. Feumaidh mo leithid tòrr leughaidh a dhèanamh."

Dh'aom e a cheann ag aontachadh leis. Bu toigh leis a bhith air barrachd fhaighneachd dheth mu Thillich, Jung agus De Chardin. Nach e Tillich an diadhaire mòr a thuirt 'God does not exist'? agus nach e Caitligeach a bh' ann an De Chardin ach cha bu dùraig dha guth a ràdh air eagal 's gun adhbhraicheadh e buaireadh. Bha an duine a bha air a bheulaibh cho còir, coibhneil a' coimhead – agus cha b' e sin a-mhàin ach rudeigin eile – rudeigin nach b' urrainn dha ainm a chur air. Rudeigin air nach do ràinig esan fhathast, rudeigin a bha ga fhàgail duilich air a shon fhèin agus . . . agus . . . ciontach aig an aon àm. Chuimhnich e an uair sin carson a bha e air tighinn.

"Tha mi duilich nach eil i a' faireachdainn cho math, ach tha mi tuigsinn. Tha latha doirbh air a bhith ann dhan a h-uile duine. 'S dòcha uaireigin eile. Am bi sibh fhèin fada aig an taigh?" Dh'èirich e airson falbh ach stad am fear eile e.

"Bidh mi an seo airson latha no dhà fhathast. A bheil cuideachadh sam bith ann a b' urrainn dhomh a thoirt dhuibh? Tha mi a' tuigsinn gun robh sibh fhèin agus Lili a' dol a-mach còmhla."

Nuair a chuala e na facail sin, bhreab a chridhe. Cha b' urrainn dha freagairt airson tiotan no dhà. Cha robh e air smaoineachadh gum biodh sìon a dh'fhios aig Daibhidh mu dheidhinn e a bhith a' dol a-mach le Lili. Saoil cò a dh'inns dha? An e a mhàthair? Mas e ciamar a bha fios aicese?

"Bha," fhreagair e mu dheireadh, "bha sinn a' dol a-mach còmhla." Cho luath 's a thuirt e na facail, bha e a' faireachdainn ciontach agus bha nàire air cuideachd. Bha e a' bruidhinn ri soisgeulaiche agus ri bràthair Lili. Ma bha fios aige gun robh iad a' dol a-mach còmhla bha deagh sheans gun robh fios aige cuideachd gun robh e pòsta. Càit a-nis an robh an t-saorsa a bha siud a dh'fhairich e air an latha ud anns na tomannan gainmhich ann an Inbhir Narann. Ach cha robh casaid ann an aodann an fhir eile idir no eadhon fuath. Ma bha dad idir ann 's e co-fhaireachdainn.

Bha beàrn anns a' chòmhradh. "Bha gaol mòr agam oirre. Chan eil mi a' tuigsinn dè a thachair . . ." Thàinig briseadh na ghuth.

"Bha gaol mòr againn uile air Lili, agus tha e doirbh, doirbh a thuigsinn carson a dhèanamh i a leithid de rud."

"'S dòcha . . ." thòisich Iain Murchadh, ach chuir e stad air fhèin.

"Bha sibh a' dol a ràdh . . ."

"Cha robh sìon. Tha e dìreach cho neònach. Bha i cho toilichte agus bha sinn a' faighinn air adhart cho math còmhla."

"Bidh rudan glè neònach a' tachairt anns an t-saoghal seo agus uaireannan cha bhi fhios againn air adhbhar gu bràth."

Sin far na chrìochnaich an còmhradh. Bu toigh leis a bhith air barrachd innse dha bhràthair, gu h-àraidh mu na facail a dh'fhàg a phiuthar anns an leabhar-latha aice, ach cha bhiodh sin air feum a dhèanamh. Bha e follaiseach nach robh fios aig Daibhidh air càil. Cha robh e mar gum biodh e amharasach ann an dòigh sam bith. Agus cha d' fhuair e cothrom bruidhinn ris an tè a b' fheàrr leis bruidhinn ris. Ach 's dòcha nuair a dh'fhalbhadh a bràthair air ais a dh'Afraca gum faigheadh e cothrom tighinn air ais. B' fhìor thoigh leis coinneachadh ri a màthair agus innse dhi cho duilich 's a bha e mun a h-uile càil a thachair.

10

An oidhche às dèidh dha a bhith ann an taigh màthair Lili, cha
do chaidil Iain Murchadh ro mhath. Cha b' e dìreach gun robh
e air a dhol air ais dhan Phoenix agus gun robh e ga dhalladh
nuair a fhuair e gu a sheòmar ann an taigh nan Gilliosach, agus
gun robh aige ri èirigh a h-uile greis airson an taigh-bhig. Cha
b' sin ach gun robh inntinn na bruaillean. Bha a h-uile càil a
thachair a' tighinn an-àirde. Dhùisgeadh e le fallas fuar air
agus ìomhaighean agus smuaintean a' measgachadh le chèile
ann an dannsa frionasach: ìomhaigh de Lili agus i na laighe rag
marbh; na facail *Cunnart, cunnart mòr IM*; aodann Dhaibhidh
a bràthair; an t-ainm Jane Harthill; aodann Chrombie agus
e a' cuimhneachadh gun robh aige ri dhol ga fhaicinn làrna-
mhàireach.

Bha ìomhaigh Dhaibhidh gu h-àraidh a' tighinn fa chomhair
agus ga bhuaireadh, ga fhàgail ciontach. Dè bh' ann mu dheidhinn
an duine ud? Carson a bha e ga fhàgail cho mì-chofhurtail? 'S e
rudeigin mu dheidhinn fhèin a bha air cùl a' bhuairidh, bha fios
aige air sin, ach cha robh e cinnteach dè. E na leth-chadal, cha
b' urrainn dha smaoineachadh ceart. Cha b' e smaoineachadh a
bh' ann ach ìomhaighean agus aislingean briste. Nam b' urrainn
dha cadal ceart agus a h-uile càil a dhìochuimhneachadh . . .

Leum e suas anns an leabaidh le clisgeadh. An cloc a' seirm. Leth-uair an dèidh ochd. Chuimhnich e. Dh'fheumadh e dhol a bhruidhinn ri Crombie. Cha robh e ag iarraidh a dhol faisg air an àite, ach dh'fheumadh e – an turas mu dheireadh a bhiodh aige ri dhol dhan togalach, bha e an dòchas. Bha uabhas air a' smaoineachadh gum feumadh e a dhol faisg air an togalach idir.

Nuair a ràinig e an deasg san ionad-fhàilteachaidh ann an CML, bha e toilichte nach robh e eòlach air an fhear a bha air cùl an deasg, ged a bha fios gun aithne aige air aodann. Dh'iarr e air innse do Mhgr Crombie gun robh e air an t-slighe dhan t-seòmar aige agus ghabh e an lioft chun a' chiad làir. Gu fortanach, cha robh duine eile san lioft.

Ghnog e air an doras. B' e Crombie fhèin a dh'fhosgail an doras agus dh'fhàiltich e Iain Murchadh a-staigh dhan rùm mhòr spaideil agus chomharraich e sèithear dha, chan ann air beulaibh an deasga mhòir eireachdail ach air a shuidheachadh gu aon taobh, mar nach robh e ag iarraidh a' choinneamh a bhith ro oifigeil; mar nach robh e ag iarraidh aghaidh a chur air ann an dòigh sam bith. Shuidh e an uair sin air ais aig cùl an deasg. Thug Iain Murchadh an aire gun robh bhàsa mhòr le flùraichean buidhe air sgeilp na h-uinneig air a chùlaibh agus sealladh farsaing de Abhainn Nis ri fhaicinn cuideachd. Nach e bha math dheth, smaoinich e, an taice ris a' chùil anns am biodh e fhèin ag obair.

Thog an ceannard litir bhon deasg. "Tha mi duilich fhaicinn," thuirt e, "gu bheil thu ag iarraidh fàgail. Tha fhios a'm gu bheil rud uabhasach duilich air tachairt . . ." Thàinig stad na ghuth.

Dh'fheuch e ri tomhas dè bha briathran a' cheannaird

a' ciallachadh. Carson a bha e duilich gun robh esan a' dol a dh'fhàgail? Nach biodh e soirbh gu leòr dhaibh cuideigin eile fhaighinn. Agus, co-dhiù, cha robh diù aig daoine mar Crombie dhan dualchas. Duine a chaidh a thaghadh leis an riaghaltas airson na feallsanachd eaconamaich a bh' aige. Thatcherite gu a chùl. Do leithid de dhaoine, b' e leasachadh eaconamach a bha a' toirt bàrr air nì sam bith eile. Cha robh ann an dualchas ach na rud romansach gun fheum. Nach robh daoine mar sin dìreach leanabail agus a' sealltainn air ais gu linn nach b' urrainn tilleadh gu sìorraidh buan.

Lean Crombie air. "Bha sinn uile glè mheasail air Lili. Bidh sinn ga h-ionndrainn, ach tha an obair a tha thu fhèin a' dèanamh dhan Chomann glè, glè chudromach . . . agus bu toigh leam nan smaoinicheadh tu a-rithist . . .? "

Sheall e air Crombie. An duine beag suarach. Ciamar a b' urrainn duine a bhith cho suarach agus cho cealgach? Bha e fhèin a' fàgail co-dhiù. Dh'fhaodadh e an rud a thogradh e a ràdh. Smaoinich e air na facail ann an leabhar-latha Lili. Am b' e seo an duine a bha ga cur ann an 'cunnart', 's dòcha a bha na adhbhar air a bàs? Sgrùd e aodann ach cha robh dad ann a dh'innseadh gu robh e a' faireachdainn ciontach mu nì sam bith.

"Dè tha sibh a' ciallachadh 'cudromach'? Bha dùil a'm gur e an eaconamaidh a bha cudromach dhuibhse?"

Laigh Crombie air ais anns a' chathair leathair aige, sealladh fad às na shùilean. "Tha thu gu math fada ceàrr an sin, a charaid. Tha thu a' smaoineachadh gur Philisteach a th' annamsa agus nach eil ùidh agam ann an dualchas, ach chan eil sin fìor idir."

Dh'fhàs Iain Murchadh na bu dàna. "Ach ciamar as urrainn dhuibh taic chothromach a thoirt do na dhà?"

Thàinig sgòth tarsaing air aodann Chrombie. "Dè tha thu a' ciallachadh?"

Mhìnich e do Chrombie mar a bha e a' faireachdainn mu leasachadh. Dh'inns e nuair a bha e òg gun robh e a' fuireach ann an sgìre Ghàidhealach air a' chosta an iar, coimhearsnachd far an robh a' Ghàidhlig fhathast làidir. 'S i a' Ghàidhlig an glaodh a bha a' cumail na coimhearsnachd ri chèile. Gun teagamh sam bith cha b' e coimhearsnachd gun smal a bh' innte, ach fhad 's a bha an cànan slàn fallain bha dòchas ann gum fàsadh cùisean na b' fheàrr.

Ach 's e am paradocs gur ann nuair a thòisich daoine a' fàs beairteach a thòisich iad a' call a' chànain agus an dualchais. Ach nach e 'saorsa a bhith beairteach' prìomh phrionnsabal a' Chomainn agus nach e prìomh phrionnsabal eile a bhith tàladh dhaoine a-staigh dhan àite airson ghnìomhachasan ùra a' stèidheachadh. Cha robh smuain dè dhèanadh sin air a' chànan agus air slàinte na coimhearsnachd. Bha poileasaidh mar sin ceart gu leòr airson baile lethchar mòr mar Inbhir Nis ach an robh iad idir air smaoineachadh dè a' bhuaidh a bha gu bhith aig leithid de phoileasaidh air na coimhearsnachdan Gàidhealach.

An dèidh na bha siud a ràdh, smaoinich e gun tilgeadh Crombie a-mach às an oifis e. Bha e air a dhol ro fhada, ged a bha e a' fàgail fhèin. Fhad 's a bha e air a bhith bruidhinn cha robh gnùig no gruaim air a bhith air aghaidh an fhir eile.

"Tha mi gu mòr ag aontachadh leat," arsa Crombie. "Agus tha fhios a'm gun aontaicheadh Lili leat nam biodh i an seo."

"A bheil sibh a' ciallachadh nach eil sibh a' creidsinn ann an leasachadh eaconamach?" Bha fanaid na ghuth. "Sibhse a tha nar Ceannard air Comann Mòr an Leasachaidh?"

"Tha eagal orm gu bheil sinn ann an cunnart mòr bho chus leasachaidh." Stad e mar gun robh e faireachdainn gun robh e air cus a ràdh. Thionndaidh e anns a' chathair agus sheall e ri Iain Murchadh.

"'S e a' cheist a tha far comhair, a bheil thu fhèin a' dol a dh'fhuireach ag obair dhuinn? Tha do leithid cudromach: sin uile as urrainn dhomh a ràdh, uabhasach cudromach."

Bha inntinn ann am brochan. Am b' e cealgair mòr a bha mu choinneamh no am b' e duine a bha gu fìrinneach air a bheachdan atharrachadh? Agus chuir na facail 'cunnart mòr' gairiseachadh troimhe. Na dearbh fhacail a bha Lili air a chleachdadh. Dh'fheumadh e faighneachd dha mu dheidhinn Lili, gu h-àraidh seach gun tuirt e na facail sin.

"Tha mi a' tuigsinn gun robh sibh fhèin a' dol a-mach leatha, le Lili."

Chùm e a shùilean air a' Cheannard fhad 's a bha e a' bruidhinn. Dh'èirich e bhon chathair leathair agus chaidh e chun na uinneig, a chùl ri Iain Murchadh, a' coimhead a-mach thairis na h-aibhne.

Bha e mar sin airson greis 's gun e ag ràdh smid. A ha, smaoinich Iain Murchadh, tha e a' faireachdainn ciontach. Tha e a' feuchainn ri aodann fhalach. No an e gu robh e doirbh dha freagairt a thoirt seachad.

Mu dheireadh thuirt e, 's e fhathast 's a chùlaibh ris, "Tha fhios a'm gu bheil e faoin agus suarach, ach bha, bha mi a' dol a-mach leatha." Bha sgìths na ghuth.

"Chan eil fhios a'm carson a tha sibh ag ràdh 'faoin agus suarach'."

"Bha thusa thu fhèin a' dol a-mach leatha, nach eil thu fhèin a' faireachdainn faoin agus suarach?"

"Chan eil mi gur tuigsinn . . ."

Thionndaidh Crombie. Thug Iain Murchadh an aire gun robh tuar piantail air, mar gu robh cùisean ga bhuaireadh.

"Tha thu pòsta, nach eil?" ars an Ceannard.

"Tha."

"Tha 's mise. 'S e nighean bhrèagha a bh' innte. Tha e furasta gaol a bhith agad air tè mar Lili gu h-àraidh mura h-eil gaol anns a' phòsadh."

'Mura h-eil gaol anns a' phòsadh'. Dhrùidh na facail sin air. Smaoinich e air a shuidheachadh fhèin. Bha e ann an seo a' bruidhinn ri fireannach a bha san aon suidheachadh ris fhèin.

"Chan eil fhios a'm mur deidhinn-se, ach bha mise air falbh bhon bhean."

Choimhead an Ceannard air gu dian, mar gum biodh eagal air gun tuirt e cus. "Cha robh mise agus chan eil. Tha sin gam dhèanamh nas miosa nach eil?"

Cha robh e airson cofhurtachd sam bith a thoirt dha. "Tha," thuirt e gu goirid.

"Bu chòir dhomh a bhith air a' bhean fhàgail . . ." Stad e mar gum biodh e air cus a ràdh. Dh'fhosgail e drathair san deasg. Thug e mach botal uisge-beatha agus dà ghlainne. "Gabhaidh tu drama mus fhalbh thu, nach gabh."

"Cha bhi mi ag òl idir," thuirt e gu breugach. Carson a ghabhadh e drama còmhla ris an duine seo, duine 's dòcha a bha air Lili a mhurt no a bha air cùlaibh a bàis ann an dòigh air choreigin?

"Duilich, cha robh fhios a'm nach biodh tu ag òl," 's thog e a' ghlainne ri a bhilean. "Tha mi an dòchas gum faigh thu obair eile 's gum bi thu toilichte ann."

Choimhead Iain Murchadh air a' tilgeil air ais an uisge-bheatha chun an deur mu dheireadh. Chuimhnich e an rud a bha e air a ràdh na bu tràithe, gun robh iad ann an cunnart mòr bho leasachadh.

"Gabhaibh mo leisgeul ach, mus fhalbh mi, an innseadh sibh rudeigin dhomh?"

"Seadh, nì mi mo dhìcheall. Mura h-eil e dìomhair," thuirt e le snodha-gàire beag.

"Dè bha sibh a' ciallachadh nuair a thuirt sibh gun robh sinn ann an 'cunnart' mòr bho leasachadh?"

"Cha tuirt mi sin idir . . ."

"O".

"Thuirt mi gun robh sinn ann an cunnart bho chus leasachaidh."

"Tha mi faicinn. Tha leasachadh ceart gu leòr ach chan eil cus."

"Tha sin ceart."

Cha robh e cinnteach dè bha am fear eile a' ciallachadh le 'cus leasachaidh' ach cha bu dùraig dha a cheasnachadh na b' fhaide, gu h-àraidh nuair a bha Crombie a' feuchainn ri bhith càirdeil, a' tabhann drama dha agus a' còmhradh ris air ais 's adhart. Thuirt an Ceannard ris gun robh e a' tuigsinn mar a bha e a' faireachdainn, gun e 'g iarraidh a bhith ag obair far na thachair rud cho uabhasach. Dh'fhàg e agus e a' faireachdainn gun robh e a' tuigsinn a' Cheannaird dìreach rud beag na b' fheàrr, no 's dòcha nach robh e ga thuigsinn idir. Bha a' choinneamh air ceistean a thogail na inntinn cuideachd, ceistean a bha a' tòiseachadh ga bhuaireadh.

11

Bha a' choinneamh le Crombie air dragh a dhèanamh do dh'Iain Murchadh. Mar as motha a smaoinicheadh e mu dheidhinn b' ann bu dhraghaile a bha e a' fàs. Ann an dòigh bha e a' faireachdainn duilich air a shon oir bha fios aige mar a dh'fhaodadh cùisean a dhol ceàrr taobh a-staigh pòsaidh agus nach robh Crombie air a ràdh, 'Bu chòir dhomh a bhith air a' bhean fhàgail . . .' Nach robh sin a' sealltainn cho làidir 's a bha e a' faireachdainn mu chùisean? Agus bha e soilleir cuideachd gun robh e air a bhith uabhasach dèidheil air Lili . . . Ach carson 'gun robh e air a bhith'? 'S dòcha gun robh fhathast. Agus ged a bha Ailig air gàire a dhèanamh mu dheidhinn Crombie a bhith a' murt air sgàth gaoil, chan eil càil dh'fhios . . .

Dh'fheumadh e barrachd fhaighinn a-mach mun duine, ach ciamar? Thàinig smuain thuige an uair sin mar dhealanaich às na speuran. Dheigheadh e dhan rùm aig Crombie ann an togalach a' Chomainn agus chitheadh e dè a lorgadh e. Chan eil càil a dh'fhios nach biodh rudeigin ann a dh'innseadh rudeigin feumail dha mu dheidhinn. Mur robh e fhèin 's a bhean a' faighinn air adhart, bha teans ann gum falaicheadh e rudan bhuaipe. Agus càite na b' fheàrr na aig obair?

Ach an-dràsta bha gnothaich eile fa chomhair. Bha e sa chàr air an rathad a-mach gu taigh Jane Harthill seachad air Bunchrew. Chitheadh e i mu dheireadh, am boireannach seo dhan robh leithid de shùim aig luchd-obrach a' Chomainn, ge brith carson. Bha e an dòchas gum faigheadh e a-mach. Bha e air fònadh thuice, mar a mhol Ailig dha, às dèidh na coinneimh le ceannard a' Chomainn. Chòrd an guth aice ris. Bha e càirdeil agus faisg agus bha i a' bruidhinn ris cha mhòr mar chuideigin a bha eòlach air. Thuirt e rithe nach robh e a' faireachdainn ro mhath agus thuirt i gun robh i ro dheònach coinneachadh ris an latha sin fhèin. Bha e a-nis mionaidean bhon taigh aice.

Bha an latha air fàs robach agus plangaid ghlas de sgòthan os cionn Linne Fharair. Ach ged a bha e glas agus rud beag trom, bha tàladh anns an Linne. Bha tràigh mhòr ann agus pìos air falbh bhuaithe chitheadh e iasgair na sheasamh san uisge ann am bòtannan mòra agus slat aige na làimh. Air taobh eile na linne bha an t-Eilean Dubh cho còmhnard agus torrach. Bha e uabhasach dèidheil air a' phàirt seo dhen dùthaich, bha a riamh on chiad uair a chunnaic e e. E cho gorm 's cho ùrair anns a h-uile dòigh.

Thàinig e suas chun an taigh aice, a bha pìos beag air ais bhon rathad mhòr. 'S e seann taigh snog cloiche a bh' ann agus gàrradh mòr air a bheulaibh cuairtichte le balla cloiche. Bha craobh-chaorainn ann, dearg le dearcan agus lòn-dubh no dhà a' gabhail an sàth. Craobh-ubhail cuideachd, trom le meas. Bha preasan le flùraichean ri oir a' ghàrraidh, ach 's e an rud a b' iongantaiche na bh' ann de ghlasraich air a chur ann an sreathan torrach òrdail, currain, leatas, sùbhan-làir, càl agus mòran eile.

Ghnog e. Cha robh dad a dh'fhios aige cò ris a bu chòir dùil a bhith ris. Bhon ghuth a chuala e, bha dealbh aige na inntinn air tè òg, chaol, bhrèagha, sheagsaidh. Ach cha b' e sin an tè a dh'fhosgail an doras idir. Bha i eireachdail ach tomadach agus cumadh a bodhaig falaichte fo fhroca aotrom flagach, aodann càirdeil le sùilean mòra glan gorm air an dèanamh nas aithnichte leis na glainneachan a bh' oirre – iad le frèam soilleir dathach. Shìn i a làmh dha.

"Feumaidh gur sibhse Iain Murchadh, nach tig sibh a-staigh."

Ghnog e a cheann. Rinn e snodha-gàire fann. Thug i na chuimhne aon de na ban-diathan talmhainn dhem faca e obair-shnaighte nuair a bha e air saor-làithean ann am Malta dhà no trì bhliadhnaichean air ais. Mòr, tomadach agus dlùth don talamh.

Thug i a-staigh dhan t-seòmar-shuidhe e. Chomharraich i sèithear bog cofhurtail.

"Nach dèan sibh suidhe. Dè mu dheidhinn tì no cofaidh?"

"Tì, bhiodh sin sgoinneil."

Fhad 's a bha i sa chidsin a' dèanamh na tì thug e an aire dhan rùm anns an robh e. Cho aocoltach 's a bha e ri taigh màthair Lili. Bha seo cofhurtail ach seann-fhasanta, rùm far am faodadh tu tuiteam nad chadal gu math furasta. An rud a b' annasaiche mu dheidhinn b' e an lus fhada uaine dhuilleagach a bha a' tòiseachadh ann a' bhàsa mhòr san uinneig, a' dol suas chun a' mhullaich agus a bha cha mhòr a' cuairteachadh an rùim os a chionn. Bha teine fosgailte aice, ged nach robh e air, agus os a chionn sgeilpe le dealbhan dhaoine. Air aon bhalla bha postair le flùraichean agus duilleach agus eòin dhathach, choimheach agus leis na facail, 'Sabhailibh ur Saoghal'. 'S e boireannach annasach a bha seo, gun teagamh sam bith, smaoinich e.

Thainig i air ais. "Seo a-nis cupa tì dhuibh. Ach nach eil e cho math a dhol troimhe chun an rùm eile, agus faodaidh sinn bruidhinn."

Lean e troimhe i. Taobh a-muigh an t-seòmair-shuidhe bha doras air a dhùnadh le cùirtear, a' treòrachadh dhan 'rùm-leigheis' mar a bh' aice fhèin air. 'S e rùm sìmplidh, lethchar dorcha a bh' ann le sòfa, sèithrichean agus bòrd agus leabaidh lom ann am meadhan an làir. Chomharraich i sèithear dha aig a' bhòrd agus shuidh i fhèin san fhear eile.

"Mus urrainn dhomh leigheas sam bith a thabhainn dhuibh – a bheil e ceart gu leòr ma chanas mi Iain Murchadh ribh . . ."

Ghnog e a cheann.

". . . feumaidh mi beagan eòlais fhaighinn ort, a bheil sin ceart gu leòr?"

Ghnog e a cheann a-rithist. Bha fios aige glè mhath dè bha i a' ciallachadh agus dè na h-ath fhacail a thigeadh a-mach.

"Bha thu ag ràdh, Iain Mhurchaidh, air a' fòn gu robh rud uabhasach air tachairt dhut agus nach robh thu a' faireachdainn gu math. Am b' urrainn dhut barrachd innse dhomh?"

Bha amharas aige gun robh fios aice air a' bheag no a' mhòr mu thràth ach dh'inns e dhi na bha e a' smaoineachadh a bhiodh feumail; far an robh e ag obair, mar a bha e a' falbh còmhla ri Lili airson ochd mìosan, cho measail 's a bha e oirre, mar a fhuair i bàs agus cho briste, brùite 's a bha e a' faireachdainn. Dh'ainmich e cuideachd gun robh Lili a' falbh còmhla ri Mgr Crombie a bha na Cheannard air a' Chomann.

"Tha mi tuigsinn gum bi e a' tighinn airson leigheis thugad fhèin."

Cha tuirt i guth airson tiotan no dhà mar nach robh i

cinnteach dè a chanadh i. Mu dheireadh thuirt i, "Chan àbhaist dhomh a bhith ag ràdh dad mu euslaintich a thig thugam, ach seach gu bheil fhios agad mu thràth . . . tha, tha e air a bhith an seo."

"An robh fios agad mu Lili?"

A-rithist bha beagan stad innte mus do fhreagair i. Chaidh sgòth thairis air a h-aodann. "Bha, tha e uabhasach duilich nuair a tha rud mar sin a' tachairt. Glè thric chan eil fhios aig duine air an adhbhar 's cha bhi."

"Dè mas e murt a bh' ann?"

"Dè!" Bha uabhas na guth. "Dè tha toirt ort sin a ràdh?"

Dh'inns e dhi an seòrsa boireannaich a bh' ann an Lili. Cho toilichte 's a bha i airson a' chuid bu mhotha 's nach b' urrainn dha a thuigsinn no a chreidsinn gun dèanadh i a leithid a rud 's i fhèin a mharbhadh. Dh'inns e dhi na facail a bha san leabhar-latha aice, *Cunnart, cunnart mòr IM.* Ach ma bha fios aig an tè a bha mu choinneamh air dad, cha do leig i càil oirre.

"Mar a thuirt mi, bidh daoine a' cur làmh nam beatha fhèin agus cha bhi fios aig duine gu bràth carson. Tha fhios a'm gu bheil e doirbh dhut agus feumaidh tu leigeil dhan bhròn a tha thu a' faireachdainn tighinn a-mach. Bhiodh e feumail dhut, saoilidh mise, nam faigheadh tu leigheas tro shuainealas."

Mhìnich i dha mar a bhiodh e ag obair. Gum biodh i ga dhèanamh cadalach 's gum biodh e a' dol ann an ceò beag-mhothachaidh agus gun cuimhnicheadh e air rudan a bha a' dèanamh dragh dha na òige agus a dh'fhaodadh a bhith a' toirt buaidh air fhathast agus eadhon gum biodh cuimhne aige, ma dh'fhaodte, air beatha agus bodhaig eile a bha aige ann an àm agus ann an àite eile. Mhìnich i gun robh rudan ann nach robh sinn fhìn a' tuigsinn ach a bha a' toirt buaidh oirnn agus dh'ainmich i Jung agus Freud agus Adler. Nuair a choimhead e oirre gu h-amharasach mhìnich i barrachd mu dheidhinn nan creideamhan Hindu agus Budach, mar a bha na Hinduthan a' creidsinn ann an atman agus karma agus mar a bha an karma gad leantainn o bheatha gu beatha.

Bha e a' fàs cadalach ag èisteachd rithe ach dh'aontaich e mu dheireadh tighinn air ais làrna-mhàireach. Bha e ann an staid far an robh e deònach dad sam bith a dhèanamh airson faighinn na b' fhaisge air an fhìrinn. An fhìrinn mu dè dha-rìribh a thug bàs do Lili ach cuideachd an fhìrinn mun t-slàinte a bha Jane Harthill a' tabhann. An robh an leigheas a bha i a' cur fa chomhair gu feum sam bith no an ann ga chur fhèin ann an cunnart a bhiodh e.

12

Bhiodh e furasta gu leòr dha Iain Murchadh faighinn a-staigh do thogalach a' Chomainn. Bha doras cùil ann air Sràid na h-Eaglaise agus cha robh aige ach feitheamh gu còig uairean, no goirid às a dhèidh, nuair a bhiodh an luchd-obrach air falbh dhachaigh. Bhiodh an luchd-glanaidh a' tighinn a-staigh an uair sin, ach cha chuireadh iad uibhreachd air. Bha e dhaibh dìreach mar neach-obrach sam bith. Dh'fhalaicheadh e air a' chiad làr – bha seòmraichean gu leòr ann far am faodadh e sin a dhèanamh – gus am falbhadh an luchd-glanaidh dhachaigh, agus an uair sin bhiodh a chead fhèin aige.

Às dèidh a bhith aig Jane Harthill bha e a' faireachdainn nach robh e air cus adhartais a dhèanamh – an aon rud math, bha e air coinneachadh ris an tè a bh' ann an leabhar-latha Lili. Cha robh e cinnteach mu deidhinn. Ma bha i a' leigheas dhaoine, tha fhios gur e boireannach le deagh rùn a bha innte. Bha e a' faireachdainn gun robh i ag iarraidh a chuideachadh. Bhiodh e math co-dhiù barrachd eòlais a chur oirre. 'S dòcha gun tòisicheadh i a' bruidhinn mu dheidhinn Lili agus ag innse dha dad air an robh fios aice.

Choinnich e ri Ailig air Eastgate. Bha aon phìos naidheachd aige dha. "Tha mi a' cluinntinn gu bheil Crombie a' fàgail."

"Dè?" ghlaodh e gu mì-chreidmheach.

Ghnog Ailig a cheann.

"Ach carson?"

"Cò aige tha fios. Tha fathann ann nach eil e gu math, gu bheil e fàs beagan neònach." Bha craos gàire air aodann mar gun robh an naidheachd a' còrdadh ris. "Feumaidh mi falbh, tha cabhag orm." Agus gun an còrr a ràdh dh'fhàg e e na sheasamh ann an sgòth de cheistean.

Sheas e airson mionaid no dhà air a' chabhsair 's e gun mhothachadh air na daoine a' sguabadh seachad air gach taobh. 'S e a' chiad smuain a thàinig thuige, gun robh Crombie a' teicheadh. Duine a bhiodh ciontach, bhiodh e a' teicheadh, nach biodh? Ach bhuail e air an uair sin gun robh e fhèin air fàgail cuideachd, agus cha b' e cionta bu choireach. Cha b' e idir, ach nach b' urrainn dha ann am mìle bliadhna a bhith ag obair far an robh ise air a bhith. Nach fhaodadh an aon rud a bhith fìor mu dheidhinn a' Cheannaird. Chronaich e e fhèin airson a bhith a' toirt leth-bhreith.

Fhuair e a-staigh dhan togalach gun strì. Choinnich e fear a dh'aithnicheadh e air an staidhre. "O, bha dùil a'm gun robh thu air falbh," ars an duine, gu mì-chofhurtail.

Rinn e leisgeul gun robh e a' dol air ais airson stuth pearsanta a bha e air fhàgail san deasg aige. Ghabh an duine ris na thuirt e gun amharas sam bith. Mar a bha dùil aige, bha an luchd-glanaidh a' dol mun gnothaich le dustairean agus hùbhairean. Chùm e air chun a' chiad làir. Ann an sin bha seòmar aoigheachd mòr far am biodh fàilte agus deoch ro luchd-tadhail. Bha an seòmar falamh. Anns an oisean bha preasa mòr airson glainneachan agus botail. Dh'fhalaich e an sin. Dh'fheumadh e feitheamh gu mu leth-uair an dèidh sia nuair a bhiodh an luchd-glanaidh a' falbh.

Dh'fhosgail e doras seòmar Chrombie gu faiceallach agus mar a bha dùil aige, bha an rùm falamh. Chaidh e chun an deasg mhòr spaideil agus dh'fheuch e na drathraichean. Gu fortanach, cha robh iad glaiste agus thòisich e ri rùrach nam broinn. Bha càirn phàipearan ann an cuid de na drathraichean agus faidhlichean crochte ann an cuid eile. Sguab a shùil thairis air na pàipearan ach cha robh dad ann ach stuth oifigeil agus cunntasan air coinneamhan.

Ghabh e beachd air càit am falaicheadh duine stuth pearsanta. Bhiodh e mì-choltach gur ann an dràthraichean a bhiodh fosgailte, gu h-àraidh agus cead aig luchd-glanaidh agus eile tighinn is falbh mar a thogradh iad. Thug e na dràthraichean dhe na bannan. Tharraing e a-mach iad, tè às dèidh tè, gan cur gu faiceallach air an làr. Thug e sùil fodhpa agus air an cùl. Cha robh dad air taobh dheis an deasg ach nuair a choimhead e fon drathair a b' ìsle air an làimh chlì, bhreab a chridhe. Ann an sin bha cèis meadhanach mòr air a teipeadh ri bonn an drathair. Spìon e gu cabhagach i bhon fhiodh. Bha crith beag na làmhan mar a bha e ga fosgladh. Bha dòrlach litrichean innte.

Dh'aithnich e sa bhad làmh-sgrìobhaidh Lili. Seo an dearbh rud a bha e a' lorg ach cha b' urrainn dha an leughadh far an robh e. Dh'fheumadh e an toirt air falbh agus fois fhaighinn an leughadh gu cùramach agus gu ceart. Stop e a' chèis na phòcaid, chuir e air ais na dràthraichean mar a fhuair e iad agus rinn e a shlighe a-mach chun na sràide.

Nuair a fhuair e air ais dhan rùm aige, dh'fhosgail e a' chèis agus thug e a-mach na litrichean. Bha e follaiseach gun deach iad uile a sgrìobhadh le Lili gu Crombie. Bha uallaichean mòra air a' Cheannard agus bhiodh e a' riochdachadh a' Chomainn aig coinneamhean thall 's a-bhos, uaireannan ann an roinn a' Chomainn fhèin cho fada tuath ri Sealtainn agus sìos gu Earra-Ghàidheal. Uaireannan eile choinnicheadh e ri riochdairean bhuidhnean oifigeil eile no bhiodh e ann an Dùn Èideann a' dèiligeadh ri urrachan an Riaghaltais fhèin.

Cha robh an obair a bh' aig Lili ga toirt air falbh bhon oifis mòran. Mar bu trice bhiodh agallamhan a' gabhail àite an Inbhir Nis. Nuair a bhiodh Raghnall Crombie air falbh bhon Phrìomh Oifis, bhiodh i ga ionndrainn gu mòr, mar a fhuair Iain Murchadh a-mach nuair a leugh e a' chiad litir a bha gu seòladh ann an Dùn Èideann:

Inbhir Nis
21/2/85

A ghaoil mo chridhe,

Tha thu dìreach air falbh aon latha 's tha mi gad ionndrainn mu thràth, ach bidh thu air ais Disathairne, taing dhan t-Sealbh. Chan urrainn dhomh feitheamh gus am bi sinn còmhla a-rithist agus do làmhan timhcheall orm. Cha robh mi smaoineachadh gu bràth gum biodh gaol agam air duine mar a tha agam ortsa.

B' fheàrr leam gum fàgadh tu a' bhean. Ciamar as urrainn dhut fuireach còmhla rithe agus thu cho mì-thoilichte. Tha fhios a'm gun tuirt thu gur e dìreach a' chlann a bha gur cumail còmhla ach tha iadsan nan deugairean a-nis agus bidh iad a' fàgail an taighe a dh'aithghearr. Tha mi faireachdainn cho ciontach agus thusa pòsta ach cha bhiodh e cho dona nam biodh tu air falbh bhuaipe. 'S beag orm a bhith gad fhaicinn mì-thoilichte. Agus tha fhios agam gu bheil gaol agad orm ged nach biodh ann ach mar a tha thu gam phògadh!

'S e gaol dìomhair a th' againn an-dràsta agus tha fhios a'm gu bheil e nas fheàrr dhan dithis againn gu bheil e mar sin. Chan eil fhios a'm dè chanadh mo mhàthair nam biodh fhios aice. Chuireadh i mach às an taigh mi. Tha i fhathast cho briste às dèidh bàs m' athar. Bha iad cho faisg air a chèile agus thachair an rud cho aithghearr. An truaghag, chan eil mi 'g iarraidh a goirteachadh ann an dòigh sam bith. Agus tha fhios a'm gum biodh i air a goirteachadh – tha fhios a'm mar a tha i a' faireachdainn mu rudan mar sin.

Co-dhiù, chan urrainn dhomh d' fhàgail air sgàth sin, tha cus gaoil agam ort agus cuideachd tha thu fhèin ag iarraidh ar gaol a chumail dìomhair, tha fhios aig an dithis againn carson.

Greas ort air ais, a Raghnaill, greas ort! Tha mi gad ionndrainn. Dh'iarrainn ort fònadh ach tha fhios agad air na duilgheadasan. Gu Disathairne, tòrr mòr gaoil.

Lili
XXX

Chuir Iain Murchadh an litir sìos ri a thaobh air an leabaidh. Laigh e air ais airson greis gun ghluasad. Bha a chridhe air a mheileachadh leis na leugh e. Ged a bha fhios aige gun robh i fhèin agus Crombie air a bhith dol còmhla, cha robh fios air a bhith aige dè dìreach mar a bha i a' faireachadh mu dheidhinn. Ach seo e a-nis ann an dubh 's ann an geal agus an gaol a bha air a bhith aice do dhuine eile cho soilleir ris a' ghrèin sna speuran. Bha dùil air a bhith aige gun robh an gaol a bha eadar e fhèin agus Lili àraidh agus air leth, ach a-nis cha robh e idir cinnteach . . . Bha an earbsa a bha aige innte nuair a bha i beò a' tòiseachadh a' traoghadh. An robh e cho furasta sin dhi solas a' ghaoil a thionndadh air is dheth? Am b' e ana-miannan na feòla a bha air a bhith ga stiùireadh?

Chaidh e a-null chun a' bhùird agus dhòirt e drama dha fhèin. 'S dòcha gun cuireadh sin blàths far an robh an dubh imcheist 's an dòlas 's am briseadh-dùil ga ragadh air an taobh a-staigh. Ach a dh'aindeoin na breislich anns an robh e, thuig e nach robh an litir ga thoirt dad nas fhaisge air freagairt na ceiste: Carson a mharbh i i fhèin?

Laigh e air ais air an leabaidh agus thog e litir eile, an turas seo gu seòladh ann an New York.

Inbhir Nis
11/10/85

A thasgaidh,

B' fheàrr leam gun robh mi còmhla riut ann an New York. Tha fhios a'm gum feum thu a bhith an sin air sgàth d' obair – ach cola-deug! Chan eil e ceart, agus do bhean còmhla riut cuideachd.

Bha mi aig Jane a-raoir agus chuir i ann an neul mi a-rithist. Bha mi a' faireachdainn cho ciùin às a dhèidh airson greis ach tron oidhche bha mi dùsgadh agus fallas fuar orm agus mo chridhe a' plosgartaich. Tha e mar gum biodh eagal air choreigin orm ach chan urrainn dhomh a chur

*ann am briathran. Thuirt thu fhèin nach robh thu a' cadal
ceart cuideachd, an ann gam ionndrainn a tha thu? Tha mi
duilich nach eil sinn còmhla fada an t-siubhail. Bha dùil a'm
gum biodh tu air Sally fhàgail o chionn fada agus gum biodh
sinn a' fuireach còmhla. Nuair a thilleas tu feumaidh sinn
bruidhinn mu dheidhinn. Tha mi smaoineachadh gur e nach
eil sinn còmhla a tha gam chur ceàrr.*

*Tha mi toilichte mun rud a bha thu 'g ràdh mu dheidhinn
leasachaidh, tha mise faireachdainn an aon rud, gun bheil
dualchas a cheart cho cudromach. Tha mi cho toilichte gu
bheil Oifigear Cultair againn a-nis. Nì e tòrr feum, tha mi
'n dùil.*

Greas ort air ais. Tha mi gad ionndrainn. Tòrr mòr gaoil.

Lili
XXX

Thàinig cnap na amhaich. Bha e soilleir bho na litrichean gun
robh cùisean air fuarachadh eadar Lili agus Crombie eadar
a' chiad litir agus an tèile. Leugh e na litrichean eile ach cha robh
sanas a bharrachd annta carson a chuir i às dhi fhèin, mas e sin
dha-rìribh a thachair. Ach thàinig e staigh air bho bhith leughadh
nan litrichean gun robh, a thuilleadh air eud, adhbharan eile
ann a dh'fhaodadh an Ceannard a ghluasad gu murt. Dè ma
bha eagal air gun innseadh Lili do a bhean agus do luchd-obrach
a' Chomainn mun ghaol dhìomhair a bh' aca? Bha e follaiseach
gur e duine miannach air inbhe agus cumhachd a bh' ann an
Crombie. Chithear sin gu minig ann an daoine nach robh àrd gu

80

corporra. Dè cho leamh 's a bhiodh leithid de dhuine nam fàgadh leannan e airson duine a bha ann an dreuchd na b' ìsle agus a bha ag obair san aon bhuidhinn?

Bha rudeigin neònach ann mu dheidhinn a h-uile càil a bh' ann. Dh'fheumadh e faighinn gu bun na cùise.

13

Sheas Anna NicLeòid aig an t-sinc a' coimhead a-mach air a' ghàrradh cùil. Seo an t-àm dhen bhliadhna a b' fheàrr leatha nuair a bhiodh blàth air na preasan ròs agus air na hydrangea. Am-bliadhna bha aster agus anemone a' dèanamh nan oirean glòrmhor le purpaidh agus pinc. Os an cionn bha na h-ùbhlan ag abachadh air na craobhan ubhail. Ann an dhà no thrì sheachdainean chruinnicheadh i am meas agus stòradh i iad san t-seada. Nam biodh cùisean air a bhith san àbhaist, bhiodh i air a bhith a-muigh am measg nam flùraichean a' dèanamh beagan gàirnealaireachd, no a' fighe no a' gabhail sgrìob chun nam bùithtean.

Ach cha b' ann mar sin a bha an-diugh. Bha i leatha fhèin anns an taigh agus a mac air falbh air ais a dh'Uganda. Chan e gun robh i a' cur na coire air airson sin. Bha mòran euslaintich fo a chùram agus bha dotairean gann agus dh'fheumadh e cumail air le obair. Thug i taing do Dhia airson leithid de mhac a bhith aice. E fhèin agus a phiuthar cho eadar-dhealaichte. Ciamar a b' urrainn dithis cho aocoltach tighinn às an aon bhroinn. Anns na h-aislingean bu mhiosa aice, cha b' urrainn dhi smaoineachadh gun dèanadh esan an rud a rinn Lili. Anns na làithean on bhàsaich i, cha robh stad a' dol air a h-inntinn. Na h-aon smaointean agus cheistean ag èirigh a-rithist agus a-rithist. Carson a mharbh i i fhèin? Carson a bha i a' falbh le fir phòsta? Cha b' e sin an togail a fhuair i. Nach robh deagh eisimpleir aice air dithis a bha dìleas dha chèile on latha a rugadh i chun an latha a dh'eug a h-athair.

Ma bha duilgheadasan aice, carson nach do dh'inns i dhi? Ach bha seòrsa de dh'fhios aice. Bhuineadh an nighean aice do ghinealach eile a bha air cùl a chur ris an t-seann dhòigh-smaoineachaidh is ghiùlan. Ciamar a b' urrainn dhi na rudan a bha i a' dèanamh innse dhìse? Bhiodh fios aig Lili nach biodh co-fhaireachdainn sam bith aice rithe. Bha e cruaidh smaoineachadh mu dheidhinn. Nam biodh Dòmhnall Iain beò, dh'fhaodadh i na bha a' cur dragh oirre innse dhàsan. Ach dè math? Thionndaidh i bhon uinneig agus chuir i air an coire.

'S ann nuair a bha i na suidhe a' gabhail a tì a chuimhnich i air a' chèis leis na litrichean. Bha an rùm-cadail aig Lili mar a dh'fhàg i e 's cha robh i a' faireachdainn coltach ri buntainn dha càil. Gu dearbh, cha bhiodh i a' buntainn dha càil nuair a bha Lili beò. Ach an-dè nuair a bha i fhèin agus Daibhidh a' dol tron stuth aice cha b' urrainn dhi gun an aire a thoirt dhan phasgan litrichean anns a' chiste dhràthraichean ri taobh na leapa. Saoil an robh sanas sam bith sna litrichean air carson a mharbh i i fhèin. Chaidh i troimhe gan iarraidh.

B' ann bho R. a bha na litrichean. Feumaidh gur e Raghnall a bha sin a' ciallachadh, Raghnall Crombie, Ceannard a' Chomainn. Leugh i a' chiad tè:

Dùn Èideann
23/2/85

Lili, a ghaoil,

*Tha mi an seo ann an taigh-òsta ann an Dùn Èideann agus
mi a' faireachdainn uabhasach. Tha fhios a'm gur e clichè a
th' ann ach 's e 'n fhìrinn gum faod thu bhith aonaranach
ann am meadhan baile mòr. Tha mi an seo ann an rùm
mòr spaideil le leabaidh mhòr eireachdail. O, nam biodh tu
còmhla rium, bhiodh e cho math. Tha mi smaoineachadh ort
fad an t-siubhail, 's chan urrainn dhomh feitheamh gus am
faigh mi air ais.*

*Tha thu 'g ràdh gum b' fheàrr leat gum fàgainn Sally.
Dh'fhàgadh a-màireach, tha fhios agad fhèin air a' sin agus
ann am bliadhna no dhà, nuair a bhios a' chlann dìreach
beagan nas sine, fàgaidh. Tha sinn air bruidhinn mu
dheidhinn mu thràth. Tha fhios agad mar a tha mi fhìn is
Sally, chan eil gaol againn air a chèile tuilleadh. Bidh na
rudan sin a' tachairt ann am pòsadh, a' dol nas fhaide agus
nas fhaide bhon duin' eile, gu seachd àraidh a' call earbsa na
chèile. 'S e sin a thachair dhomh fhìn is Sally. Tha e mar ugh
a' tuiteam agus a' briseadh – cha ghabh e a dhèanamh slàn
a-rithist.*

*Sin an diofar a tha san dàimh a th' agam riutsa agus an
dàimh a th' agam ri Sally. Tha gaol agam ortsa agus tha
earbsa agam annad 's tha mi 'g iarraidh a bhith còmhla riut
fada an t-siubhail. Tha fhios a'm gu bheil e doirbh, an obair*

a th' agam agus sinn ag obair san aon àite 's gum feum sinn
a h-uile càil a chumail dìomhair, ach cha bhi e fada a-nis 's
faodaidh sinn innse dhan t-saoghal mhòr. Ach tha thu fhèin
mar sin cuideachd, nach eil, ag iarraidh ar gaol a chumail
dìomhair air sgàth do mhàthar, agus tuigidh mi sin nuair a
tha i cho dian na beachdan.

Ach na bi a' faireachdainn ciontach mu ar deidhinn idir.
Tha fhios againn gu bheil gaol againn air a chèile, agus mar
a tha sinn air aontachadh uair is uair 's e sin an rud as
cudromaiche san t-saoghal. Cha b' urrainn dhomh a bhith
beò gun an gaol a th' againn dha chèile.

Chan urrainn dhomh feitheamh gus am faic mi a-rithist
thu. Na bi a' coimhead air duine sam bith eile! Carson a
thuirt mi siud – tha fhios a'm nach bi. 'S e th' ann gu bheil thu
cho brèagha 's tha fhios a'm gu bheil gu leòr ann a bu toigh l'
a dhol a-mach leat, cuiridh mi geall gu bheil a's a' Chomann
fhèin. Ach tha mi cabadaich cus. Chì mi an ath-oidhch' thu
aig an àite àbhaisteach.

M' uile ghaol agus mìle pòg
R.

Bha a làmhan air chrith agus grèim aice air an litir. Thug na leugh
i dhachaigh oirre cho domhainn ann an clàbar an t-saoghail 's a
bha an nighean aice air a dhol. Cha robh an seo ach aon duine leis
an robh i a' dol a-mach. Cia mheud duine eile – daoine pòsta – a
bha air a bhith còmhla rithe. Gun smaoineachadh, chuir i a làmh
air a' Bhìoball a bha air a' bhòrd ri taobh agus rinn i ùrnaigh air
son anam na nighinne aice. An truaghag. Agus cha robh fhios

aice air a leth. Is beag an t-iongnadh ged a chuir i às dhi fhèin mas e siud an seòrsa beatha a bh' aice.

Thog i litir eile bhon tiùrr.

New York
15/10/85

A ghaoil mo chridhe,

Tha mi gad ionndrainn gu h-uabhasach. Chan eil a bhith còmhla ris a' bhean a' ciallachadh càil. Tha fhios agad mar a tha cùisean eadar mi fhìn 's i fhèin ach feumaidh mi aghaidh bheusach a shealltainn dhan t-saoghal, mar a thuigeas tu. Cha mhòr gum faca mi i o thàinig sinn an seo. Tha i air a bhith riagail feadh nam bùithtean tha mi 'n dùil 's mise aig coinneamhan, a' mhòr-chuid dhen ùine.

Tha mi duilich nach eil thu air a bhith faireachdainn ro mhath. 'S dòcha gum biodh tu na b' fheàrr gun a bhith dol chun a' bhoireannaich sin. Chan eil mise air a bhith ceart nas mò. Agus tha mi nas miosa o thàinig mi dhan bhaile seo. Tha leithid de dh'ùpraid 's de shraighlich ann an-còmhnaidh, tha e gam chur cracte. Agus an trafaig gun sgur a' spùtadh a smùid phuinnseanta dhan àile. 'S beag an t-iongnadh ged a tha trom-laighe orm. Tha mi coltach riut fhèin, a' dùsgadh tron oidhche agus fallas orm agus le eagal nach gabh a chur ann am briathran.

Chan urrainn dhomh feitheamh gus faighinn air ais thugad. Tha mi duilich ma thuirt mi rudeigin ceàrr no gu bheil thu diombach rium. 'S e an fhìrinn a th' agam, chan eil e a' ciallachadh càil gu bheil Sally còmhla rium air an turas

seo. *Tha dà leabaidh sa rùm againn agus tha mise a' cadal
ann an aon leabaidh agus ise a's an tèile. Air m' onair.*

*Tha mise toilichte cuideachd gu bheil Oifigear Cultair
againn anns a' Chomann. B' àbhaist dhomh a bhith
a' smaoineachadh nach bu chòir a leithid a bhith ann idir,
ach tha mi air mo bheachdan atharrachadh mar a tha fhios
agad. Chan e rud dona a th' ann idir gu bheil sinn a' toirt àite
do chultar. Uaireannan a-nise, bidh mi a' smaoineachadh gu
bheil mi anns an dreuchd cheàrr.*

*Smaoinich, seachd latha eile agus bidh sinn ann an glaic
a chèile a-rithist. Tha mi nas fhaide bhuat na bha mi riamh
o thòisich sinn a' falbh le chèile ach cuideachd tha mi a'
faireachdainn nas fhaisge ort. Smaoinich air sin.*

*Tòrr mòr gaoil. Fònaidh mi thugad a-nochd, ma gheibh
mi teans.*
R.

Bha deòir na sùilean agus i a' leughadh, agus bha i a' faireachdainn
tinn, òrrais a' tighinn bho bhonn a stamaig. Bha na litrichean mar
uinneag air an t-seòrsa beatha a bha air a bhith aig Lili, beatha a
bha cho fada bhon dòigh-smaoineachaidh aice fhèin agus a bha
an latha bhon oidhche. Nam biodh fios air a bhith aice nuair
a bha a nighean aice beò, ma dh'fhaodte gum b' urrainn dhi a
bhith air rudeigin a dhèanamh airson a cuideachadh. Air an
làimh eile, 's dòcha nach b' urrainn. Nach robh an dàimh eadar
daoine ag atharrachadh mar a bha an ailtireachd fhèin? Cha robh
na taighean làidir, ceart tuilleadh, ach faoin agus aotrom agus
buailteach tuiteam.

14

Ghnog Iain Murchadh air an doras ann an ceàrnaidh a' Chrùin. Bha e an dòchas an turas seo gum faigheadh e bruidhinn ri màthair Lili. Bu toigh leis sin a dhèanamh airson mathanas iarraidh oirre, cha b' ann airson gun do mharbh Lili i fhèin, mas e sin a bh' ann, ach airson gun robh esan, duine pòsta, a' dol a-mach leis an nighinn aice. Cha robh Lili riamh air cuireadh a thoirt dha chun an taighe aca agus bha fios glè mhath aig an dithis aca carson. Bha i air beagan innse dha mu a màthair, gun robh i a' frithealadh na h-Eaglaise Saoire 's gun robh i a' leantainn. Bha cuideachd fios aige gur ann às an Eilean Sgitheanach a bha i, ged a bha i air a bhith air falbh ann an Glaschu o chionn bhliadhnaichean mòra, agus gur ann à baile glè fhaisg air a' bhaile às an robh e fhèin a bha i. Bha sin air a bhith gu leòr airson eagal a bhith air a dhol faisg oirre. A-nis bha an t-eagal a' tilleadh agus e a' dol ga coinneachadh airson a' chiad uair.

Dh'fhosgail an doras gu socair. Cha robh an tè a bha mu choinneamh na briseadh dùil. Nan gabhadh tè a bhith na ball-sampaill air bana-Ghàidheal, nach i seo i. Eireachdail, stuama, a h-aghaidh faoilidh, fosgailte agus na sùilean onarach a' coimhead dìreach an clàr aodainn. Ach cuideachd bha sanas dubhachais na gnùis. Choimhead i air gu ceasnachail. Shìn e a làmh dhi.

"Tha mi duilich dragh a chur oirbh. Iain Murchadh. Bha mi a' dol a-mach le Lili."

Cha tuirt i guth airson diogan agus i ga sgrùdadh gu cùramach. Dh'fhairich e mar ghille beag air beulaibh maighstir-sgoile às dèidh ball a chur tron uinneig aige. Dh'fhairich e mar mhurtair fa chomhair a' bhritheimh. Anns an tiotan sin bha e a' faireachdainn mar gum b' esan a bu choireach ri bàs Lili. Bha e ag iarraidh gun slugadh an talamh e agus ghabh e aithreachas gun tàinig e an taobh a bha i. Bha e dol a thionndadh agus a' dol a dh'fhalbh, ach cha b' urrainn dha oir bha i air a làmh a ghabhail agus bha grèim teann aice oirre.

"Nach tig thu staigh," thuirt i mu dheireadh agus lean e a-staigh i dhan rùm air an robh e mu thràth eòlach. Chomharraich i aon dhe na sèithrichean boga cofhurtail dha anns an robh a chùl ris a' phreasa-leabhraichean. Shuidh i mu choinneamh mar gum biodh i a' feitheamh gus am bruidhneadh e.

Bha beagan crith na ghuth nuair a rinn e sin. "Tha mi uabhasach duilich dragh a chur oirbh. Bha mi dìreach airson innse dhuibh cho fìor dhuilich 's a tha mi airson a h-uile càil a thachair. Cha robh dùil sam bith agam gun tachradh leithid de rud . . ."

Dh'inns e dhi cho math 's a b' urrainn dha mar a thuit e fhèin agus Lili ann an gaol, mar a bha e cho fìor mheasail oirre agus mar a bha iad an dòchas pòsadh aon latha.

"Bha dùil a'm," thuirt i, agus na sùilean onarach a' deàrrsadh na h-aodann, "gu robh thu pòsta mu thràth."

Dh'fhairich e rudhadh a' tighinn na ghruaidhean. Cha robh e cinnteach ciamar a fhreagradh e.

Lean i oirre. "Chan eil fhios a'm dè thàinig thairis air Lili.

Chan e thusa an aon duine pòsta leis an deach i. 'S dòcha gu bheil fhios agad," thuirt i gu searbh.

"Cha robh sìon a dh'fhios agam gu o chionn ghoirid gu robh i dol a-mach le fear eile. Tha mi duilich gur ann mar sin a bha. Mar a thuirt mi bha gaol mòr againn air a chèile."

An rathad a bha an còmhradh a' dol, bha e a' tòiseachadh a' faireachdainn duilich gun robh e air tighinn a choimhead oirre. Bha cuideigin air innse dhi mu dheidhinn Crombie. Mas e briseadh-dùil a bha sin dhàsan, bha e follaiseach gun robh e na bhriseadh-dùil na bu mhotha dha màthair Lili, ach airson adhbharan eadar-dhealaichte. Chuimhnich e aon dhe na prìomh adhbharan a bha e ag iarraidh bruidhinn rithe, airson faighneachd an robh dad a dh'fhios aice carson a mharbhadh Lili i fhèin.

Mar gun robh i a' leughadh a smaointean, thàinig an dearbh cheist bhuaipe fhèin, "Ma bha gaol cho mòr sin agad oirre, bidh fios agad carson a mharbh i i fhèin, mas e a marbhadh fhèin a rinn i."

Chuir na facail gaoir troimhe. An robh amharas aicese cuideachd nach e fèin-mharbhadh a bh' ann. Thòisich e a' faireachdainn duilich air a son. Bha ise a' dol tron aon àmhghar agus a bha e fhèin. Agus cuideachd bha an còmhradh a' tighinn chun an àite far an robh e ga iarraidh.

Bha lasadh na aodann. "'S e sin an rud. Tha teagamh agam gur e cur às dhi fhèin a rinn i. Chan urrainn dhomh smaoineachadh carson a dhèanadh i a leithid – bha i cho toilichte, mar bu trice, ged a bha mi air a bhith a' cur umhail oirre o chionn greis air ais. A bheil teagamh agaibhse cuideachd?"

"Umhail?" Dh'fhàs a h-aodann dorcha. "Tha teagamh agus

teagamhan agam. Chan urrainn dhomh a chreidsinn gun cuireadh i às dhi fhèin, nas motha na as urrainn dhomh a chreidsinn gun deach a murt. Carson a mhurtadh duine i?"

Dh'inns i dha mar a fhuair i trèanadh mar nurs agus nach robh e ainneamh do dhuine bàsachadh 's gun fios cinnteach aig dotairean dè thug bàs dha no dhi. Gun robh gu h-àraidh tinneasan ann a thaobh a' chridhe, far a bheil a' bhuille agus an ruitheam a' dol ceàrr agus am bàs a' tachairt gu math aithghearr. 'S dòcha ged a ghabh Lili pilichean nach robh i a' ciallachadh i fhèin a mharbhadh, gur e glaodh na h-èiginn a bh' ann airson cuideachadh, rud a tha a' tachairt gu math tric. Ach cha robh i cinnteach carson a bhiodh i ann an èiginn, mura b' e gun robh i air a dhol cho fada air seacharan.

"Air seacharan, chan eil mi buileach a' tuigsinn . . . ," thuirt e agus ceist na ghuth. Ach mus do chrìochnaich e bha e a' tuigsinn, ach bha e ro fhadalach. Bha e air a' cheist a chur.

Bha cronachadh na guth. Dh'fhairich e an rudhadh na ghruaidhean a-rithist. Thòisich i air searmon fada a thoirt dha mu dhìlseachd agus mu dhàimh agus mar a bha e a' cur iongnadh oirre gu robh esan a chaidh a thogail coltach rithe fhèin anns an Eilean Sgitheanach fo stiùir an t-soisgeil air tuiteam air falbh bho dhòigh-beatha a shinnsearan. Cha robh e na chleachdadh riamh aig na daoine beannaichte ud a bhith a' falbh le mnathan no le fir dhaoine eile.

Ghnog e a cheann, gu sòbarra ag aontachadh leatha. Bha fhios aige nach b' urrainn dha an fhìrinn innse dhi. Cho fada agus a bha e air falbh bhon t-seann chreideamh. Nach robh fhios aige cò ann a chreideadh e tuilleadh a chionn 's gu robh a reusan air fìrinn a shinnsir a bhreugnachadh dha. Agus nach robh càil aige a chuireadh e na àite. Ach cha robh e ag iarraidh a bhith ag argamaid leis a' bhoireannach seo aig an robh creideamh air nach b' urrainn dhàsan ruighinn. Nach robh i a' fulang goirteas gu leòr gun esan am barrachd cron a dhèanamh? Ma bha feallsanachd sam bith aige nach e sin i: truas a bhith agad do chreutairean eile agus gun pian a bhuileachadh orra ann an dòigh sam bith. Sin an aon rud a bha follaiseach agus aig nach robh feum air dearbhadh: bha daoine agus ainmhidhean comasach air pian fhulang.

"Na dìochuimhnich, a charaid," thuirt i, "gu robh mi eòlach air do chuideachd. 'S e daoine còir, diadhaidh a tha nad phàrantan le chèile."

"'S e," thuirt e gu socair.

Ach bha e ag iarraidh a stiùireadh air ais gu bàs Lili agus dh'inns e dhi mun leabhar-latha agus na facail a bha sgrìobhte ann, gun robh i ann an 'cunnart mòr'.

Chuir e a' cheist oirre, "A bheil adhbhar agaibh smaoineachadh gu robh i ann an cunnart? Carson a sgrìobhadh i na facail ud na leabhar-latha."

Choimhead i air le aodann gun aithne. "Tha fhios gu robh fhios aice fhèin air a' chunnart san robh i ga cur fhèin."

Dh'fhan e sàmhach mar gun robh e a' feitheamh ri tuilleadh bhuaipe.

"Bha i a' cur a h-anam ann an cunnart, a' falbh còmhla ri daoine pòsta."

"Cha robh dad ach sin?" chùm e air ged a bha fios aige gun robh e faoin dha.

"Nach robh sin gu leòr," thuirt i agus a guth a' fàs cruaidh agus searbh.

Bha fhios aige nach robh feum dha cumail air, ach bha aon

cheist eile a dh'fheumadh e fhaighneachd. "An cuala sibh riamh i a' bruidhinn mu Jane Harthill?"

"Cha chuala. Cò tha sin?"

"Bha a h-ainm san leabhar-latha aice uair no dhà, sin uile."

Cha robh e ag iarraidh innse dhi am beagan air a robh fios aige air mu dheidhinn Harthill. Cha dèanadh e ach tuilleadh dragh a chur oirre. Bha e follaiseach nach cuala i riamh guth mu a deidhinn. Bha e follaiseach cuideachd nach robh dlùth dhàimh air a bhith eadar Lili agus a màthair, agus air an adhbhar sin nach biodh fios air a bhith aice ged a bhiodh rud a' dèanamh dragh dhan nighinn aice.

Dh'èirich e airson falbh agus ghabh iad slàn le chèile. Bha e mar gum biodh e a' gabhail slàn le seann eòlaiche agus strainnsear aig an aon àm.

15

"Faodaidh tu laighe sìos an sin air an t-sòfa." Bha an guth cofhurtail, socair, cinnteach às fhèin, rud nach robh Iain Murchadh. "Bidh mi còmhla riut ann am mionaid."

Bha e air tighinn air ais gu Jane Harthill, mar a gheall e, agus airson a' chiad uair na bheatha bha e gu bhith fo bhuaidh suainealais. Cha robh e cinnteach carson a bha e air aontachadh ris a leithid. Cha b' ann airson a mhath fhèin a bha e ga dhèanamh, bha e cinnteach à sin. Gun teagamh sam bith, bha e ann an droch staid, ach bha fios aige carson a bha e anns an staid anns an robh e. Mus d' fhuair e a leannan na laighe marbh, bha e air a bhith ceart gu leòr. Gu ìre co-dhiù.

O bha, bha e air a bhith fiadhaich, gun teagamh sam bith. Fiadhaich nach robh fios aige cò ann a chreideadh e. Fiadhaich gun robh a' Ghàidhealtachd ag atharrachadh agus gun robh a' Ghàidhlig a' crìonadh; fiadhaich gun robh a' mhòr-chuid den t-sluagh coma co-dhiù; fiadhaich nach b' urrainn dha dad a dhèanamh mu dheidhinn; fiadhaich gun robh am pòsadh aige air a dhol a thaigh na croich; fiadhaich gun do phòs e an tè cheàrr. Ach ged a bha e air a bhith fiadhaich, bha seòrsa de dh'fhios aige càite an robh e a' dol. A-nis, chan ann fiadhaich a bha e, ach goirt, goirt agus trèigte, gu tur air chall.

Smaoinich e air a bhean, Nuha à Iòrdan, agus mar a choinn-ich iad ann an Glaschu agus e ag obair dhan BhBBC agus mar a ghluais iad dhan Eilean Sgitheanach às dèidh dhà no trì bhliadhnaichean. A snuadh caran odhar, a sùilean dorcha ach le sanas de dh'àbhachdas. I a' trèanadh a bhith na dotair. Bha tàladh innte dhàsan, agus annsan dhìse. Dh'inns i dha gun robh Nuha a' ciallachadh 'tuigse' agus 'aigne'. Cha b' fhada gus an robh iad a' dol a-mach còmhla agus mus robh a' bhliadhna suas, bha iad air pòsadh. Bha gaol aca dha chèile agus cha do smaoinich e aig an àm gum biodh duilgheadas sam bith eatarra. Mar a bha e a' smaoineachadh an uair sin, bha e coma cò às a bha neach no dè an inbhe shòisealta a bha aige no aice. Nach robh an daonnachd leis an do rugadh neach ga dhèanamh co-ionann ri neach sam bith eile? San t-seagh sin bha an dèirceach aig nach robh sgillinn ruadh a cheart cho uasal ris a' bhànrigh air a cathair. Agus dè bha ann an dath a' chraicinn ach rud suarach nach bu chòir aire a thoirt dha. Sin mar a bha e a' smaoineachadh nuair a phòs e Nuha.

Agus chaidh cùisean gu math an toiseach. Fhuair iad flat ann am Partaig agus bhiodh iad a' dol a dh'Amman air làithean-saora far am fuiricheadh iad còmhla ri a pàrantan. 'S e dotairean a bha annta agus mas e Muslamaich a bha annta, cha mhòr gun robh e a' toirt an aire ach gum biodh iad a' dol air an glùinean agus ag ùrnaigh aig amannan àraidh dhen latha.

B' ann nuair a bha i trom leis an nighinn aca, Jumaana, a thòisich cùisean a' dol ceàrr. Bha esan ag iarraidh Cairistìona Anna a thoirt oirre às dèidh a mhàthar agus piuthar a mhàthar.

"Tha e cudromach gum bi ainm Ioslamach oirre. Jumaana, nach e ainm snog a tha sin? Tha e a' ciallachadh 'neamhnaid airgid'," chanadh ise.

Bha sin a' cur a' chuthaich air. "An diabhal ort, Nuha, tha thu a' fuireach ann an Alba a-nis. Dè an ceangal a th' aig Ioslam rinne? Agus tha thu pòsta aig Gàidheal agus Crìosdaidh."

"H-abair Crìosdaidh, duine nach eil a' creidsinn ann an Dia no ann an càil sam bith. Tha mise co-dhiù a' creidsinn ann an Allah."

"A bhidse a tha thu ann, ciamar a ghabhas tu ort . . ." Cha tigeadh an còrr a-mach. Bha e gu tachdadh leis an fheirg. Air a thàmailteachadh barrachd agus fios aige gur e an fhìrinn a bha ann an cuid mhath de na bha i ag ràdh.

Bha cuimhne aige air an latha ud 's bhiodh gu sìorraidh, mar a dh'fhalbh e a-mach às an taigh, ga fàgail a' gal. Mar a chaidh e dhan taigh-òsta 's mar a ghabh e smùid a' chofaidh 's mar a thàinig e air ais dhachaigh, ag èigheach rithe 's ag ràdh nach robh innte ach salchar de Mhuslamach 's carson nach tilleadh i air ais dhan àite às an tàinig i.

An ath latha bha sàmhchair throm, shàraichte eadar an dithis aca. Agus an ath latha agus an latha às dèidh sin. Cha do thill am blàths agus an dlùth charthannas a bha aca bho thùs ach air èiginn agus bhon latha sin a-mach, aig an ìre a b' fheàrr a bha cùisean, bha dubhachas daonnan air cùl an t-subhachais.

'S e esan a bhruidhinn an toiseach. Air sgàth na sìthe, dh'aontaich e Jumanna a thoirt air an nighean, ged bu leamh dha.

Bha i nise aon bhliadhna deug a dh'aois agus a' fuireach còmhla ri a màthair anns an Eilean Sgitheanach agus iad a' dol a ghluasad air ais a Ghlaschu cho luath 's a gheibheadh a màthair àite-fuirich dhaibh . . .

Bha e cha mhòr air dìochuimhneachadh far an robh e, agus an tè a bu chòir a bhith ga shlànachadh. Chluinneadh e a guth bhon t-seòmar-shuidhe mar gum biodh i air a' fòn. Air a' bhòrd mu choinneamh chitheadh e leabhar fosgailte, an leabhar-latha far am biodh i a' cur uairean airson nan daoine ris am biodh i a' dèiligeadh. Gu faiceallach, theàrn e bhon t-sòfa agus chaidh e chun a' bhùird.

Bha smuain air tighinn thuige. Chitheadh e cò a bhiodh a' tighinn thuice agus cuin. Dh'fhaodadh am fiosrachadh a bhith feumail dha. Thionndaidh e an duilleag gu Diluain. Bha ainmean ann nach robh e ag aithneachadh ach an sin nam measg aig còig uairean bha an t-ainm aig Raghnall Crombie. Chitheadh e cuideachd ainm no dhà eile de mhuinntir a' Chomainn. Thug e sùil air na seachdainean mu dheireadh. Bhreab a chridhe, ged nach b' e iongnadh mòr sam bith a bha ann, nuair a chunnaic e an t-ainm Lili NicLeòid a' breacadh nan duilleagan. A rèir choltais, bhiodh i a' tighinn a h-uile seachdain.

Chluinneadh e an guth fhathast air a' fòn. Thug e sùil mu chuairt an rùm. Laigh a shùil air pìos bàrdachd air a' bhalla mu choinneamh agus e air a shoidhnigeadh leis na ciad litrichean JH.

Teas

teas feòla	teas colainn,
teas fiabhrais	teas fala,
teas grèine	teas saoghail,
teas talmhainn	teas daonnachd.
tha mi a' fàs teth agus nas teotha	mo dheigh a' leaghadh
sàbhail mi cuideigin	tha mo thìrean a' tiormachadh

mo choilltean air an gearradh   m' fhàsaichean a' fàs
beathaichean dol bàs   sàbhail mi cuideigin
m' àile ga truailleadh   smùid-cheò gam bhuaireadh

puinnseanan nam aibhnichean 's nam mharannan
a' tachdadh beatha
tha mi a' faireachdainn an teas a' tighinn thairis orm

fliuch le fallas an fhiabhrais
mar euslainteach a' dol bàs
mo bhrìgh a' seargadh air falbh
sàbhail mi cuideigin.

Cha robh cus tuigse aige air bàrdachd aig a' char a b' fheàrr.
B' fhìor thoigh leis na seann òrain agus bheireadh iad deòir gu a
shùilean, ach cha robh e cinnteach dè a bha a' bhàrdachd a bha
seo air a bheulaibh a' ciallachadh no cò mu dheidhinn a bha i.
Dh'fheumadh e faighneachd dhen tè a sgrìobh i, a rèir coltais
an tè a bha a' dol ga chur fo shuainealas.

Bha e cho mòr air chall sna smuaintean aige 's nach tug e an
aire dhi a' tighinn a-staigh dhan rùm air a' chùlaibh.

Thug e leum às.

"O, duilich, an do chuir mi eagal ort? Tha mi duilich a bhith
cho fada. Bha cuideigin air a' fòn."

"Tha e ceart gu leòr; bha mi a' leughadh na bàrdachd seo. An
e thu fhèin a sgrìobh i?"

"'S mi." Bha i mar nach robh i ag iarraidh cus a ràdh, ach lean
e air.

"Chan eil mi a' tuigsinn ro mhath, am b' urrainn dhut beagan
mìneachaidh a dhèanamh."

"Laigh sìos air t-sòfa agus innsidh mi cò mu dheidhinn a tha i," thuirt i gu beòthail.

Rinn e e fhèin cofhurtail agus dh'inns i dha mar a bha an dàn mu dheidhinn an t-saoghail. Mar a bha an saoghal a' teasachadh beag aig bheag agus mar a bha an teas a bha sin air adhbhrachadh le sannt mhic an duine. Agus nach e seòrsa de theas a bha ann an sannt fhèin? Sannt airson chàraichean nas cumhachdaiche, taighean nas motha agus nas fheàrr, àirneis nas fhasanta, airson a h-uile seòrsa rud a bha ùr agus annasach. Agus dh'fheumadh a h-uile càil a bha sin cumhachd agus airson cumhachd dh'fheumadh connadh a bhith air a losgadh agus mar bu mhotha de ghual 's de dh'ola a bha air a losgadh 's ann a b' àirde a dheigheadh an teas. Sannt agus teas, bha na dhà ceangailte mar làimh is miotaig. Mhol i an leabhar Gaia: *A New Look at Life on Earth* le Seumas Lovelock.

"Tha mi air a leughadh," thuirt e.

Las a h-aodann. "A bheil gu dearbh? Ma tha, tuigidh tu cò air a tha mi a-mach." Bha i a' coimhead uabhasach toilichte.

Gu cinnteach, bha tuigse nas fheàrr aige a-nis air a bàrdachd agus bha e ag aontachadh ri tòrr dhe na bha i ag ràdh. Ach bha cuid de dhaoine ag ràdh nach robh an àile a' teasachadh idir agus, ma bha, gur e rud nàdarrach a bh' ann a bhiodh a' tachairt bho àm gu àm co-dhiù.

Thug i sùil air a' chloc. "'S fheàrr dhuinn tòiseachadh," thuirt i. "Tha sinn beagan air dheireadh."

Rinn e e fhèin cho cofhurtail 's a b' urrainn dha agus sheall e suas air na sùilean mòra bàidheil.

16

"Tha thu a' fàs nas socraiche agus nas socraiche, na fèithean agad gu tur aig fois. Bidh tu mar gum biodh ann an neul agus bidh cuimhne agad air rudan bho dhoimhneachd d' inntinn. 'S dòcha gum bi cuimhne agad nuair a bha thu beò ann an linn eile no ann am bodhaig eile. Nuair a chunntas mise gu deich dùisgidh tu agus bidh tu a' bruidhinn rium le mothachadh slàn a-rithist. Tha thu a-nis a' fàs cadalach agus tha thu gu tur aig fois . . . Tha do ghàirdeanan agus do chasan a' fàs nas truime . . . Tha thu a' faireachdainn cofhurtail agus aig fois . . ."

Bha guth an t-suainealaiche socair agus sèimh agus cha b' fhada gus an robh Iain Murchadh ann an neul dhomhainn. Shaoileadh duine a bhiodh ga fhaicinn gun robh e na chadal, ach cha robh. Bha e ann an staid eadar cadal is dùsgadh ach bha e mothachail dhan a h-uile càil a bha i ag ràdh ris. Bha nuair a dhùisgeadh e an urra ris an t-suainealaiche. Thòisich i a' cur cheistean air:

"Ciamar a tha thu a' faireachdainn?"

"Diabhlaidh."

"Carson a tha thu a' faireachdainn mar sin?"

"Tha iad às mo dhèidh."

"Às do dhèidh? Cò th' às do dhèidh?"

"Na saighdearan dearga aig an Diùc Uilleim."

"Inns barrachd dhomh. Carson a tha iad às do dhèidh?"

"Às dèidh a' bhatail, às dèidh Chùil Lodair, bha againn ri teicheadh chun nam monaidhean. Mo chreach, armailt nam breacan bhith air sgaoileadh 's air sgapadh 's gach àit'. B' e siud am batal, fhuair na Goill sinn fon casan, is mòr an nàire 's am masladh siud leinn . . ."

"Ciod as ainm dhuibh fhèin?"

"Iain Ruadh Stiùbhart ach 's e 'The Body' a bhiodh aig a' Phrionnsa orm."

Bha an suainealaiche a' coimhead air gu dùrachdach airson greis gun ghuth a ràdh. An uair sin thuirt i gu socair, "Feumaidh tu a h-uile càil a tha sin fhàgail air do chùlaibh. Bha thu na do shaighdear ann an linn a chaidh seachad. Tha sin fhathast na laighe air do spiorad gad bhuaireadh, ach feumaidh tu tuigsinn gu bheil an saoghal air atharrachadh. Chan eil gaisge gu feum tuilleadh . . ."

"Chan eil mi gad thuigsinn. Nach e cruadal nan laoch agus dìlseachd an aon nì anns a bheil luach?"

"Tha eagal orm nach e anns an t-saoghal anns a bheil thu beò a-nis. Tha luachan eile ann . . ."

"Luachan eile?"

"Airgead, a charaid, chan e uaisle no dùthchas no dìlseachd dod chinneadh a tha cunntas."

"Chan eil mi tuigsinn. Ciamar a b' urrainn a leithid a bhith? Nach eil Rìgh no Bànrigh agaibh agus uaislean?"

Rinn Harthill gàire. "O, tha, tha Bànrigh againn ceart gu leòr bho shliochd Hanobhair, ach chan eil innte ach samhla no suaicheantas. Chan eil cumhachd sam bith aice a bhith riaghladh na dùthcha, 's ann aig a' Phrìomhaire agus aig a' Phàrlamaid a tha sin. Agus a thaobh nan uaislean, chanadh cuid gu bheil cus fearainn aca fhathast ach is beag a th' aca de chumhachd. Tha rud againn a-nis ris an can iad deamocrasaidh agus bhòt aig a h-uile inbheach agus an cumhachd aig an t-sluagh, no 's e sin a tha iad a ràdh. Ach 's e an fhìrinn gum bi an riaghaltas a' dèanamh iomadh nì nach eil an sluagh ag iarraidh. Ach, mar a thuirt mi, 's e airgead agus leasachadh a tha riaghladh a h-uile nì."

"A bheil thu ciallachadh nach eil dìlseachd agus uaisle a' ciallachadh nì a-nis?"

Rinn i gàire. "Tha thu dìleas dhut fhèin, a bhalaich. Feumaidh tu a thuigsinn – tha an duine mi fhìn a' riaghladh."

"Chan eil mi ag iarraidh a bhith nam phàirt de leithid de shaoghal."

"Faodaidh tu bhith beò anns an t-saoghal gun a bhith na phàirt dheth."

"Dè tha sin a' ciallachadh?"

"An toiseach feumaidh tu a thuigsinn gu bheil an saoghal anns a bheil sinn beò a-nis ann an cunnart mòr, ach 's urrainn dhuinn rudeigin a dhèanamh mu dheidhinn. Tha spiorad Iain Ruaidh annadsa. Bidh e furasta dhutsa."

"Mas urrainn dhomh an saoghal a thoirt air ais mar a bha e, nuair a bha dìlseachd agus uaisle a' ciallachadh rudeigin, nì mi mo dhìcheall. Inns dhomh dè a nì mi."

"Èist gu cùramach agus nuair a dhùisgeas tu bidh thu deiseil airson pàirt a ghabhail san iomairt as motha a bh' ann riamh. Iomairt airson an saoghal againn a shàbhaladh."

"Lean ort. Tha mi ag èisteachd."

Bha Iain Murchadh fhathast ann an neul dhomhainn 's e na shìneadh air an t-sòfa. Dheoc agus dheothail e gach facal a thàinig às a beul. Dh'innis i dha mar a bha an domhan a' teasachadh. Rinn i dealbh dha air an t-saoghal ùr anns an robh e beò. Similearan mòra a' spùtadh ceò agus deatach shalach dhan àile. Carbadan ùra ann an àite eich, càraichean is busaichean is làraidhean is bàtaichean air an gluasad le ola, agus iad sin anns a h-uile dùthaich air an t-saoghal. Billeanan de thaighean air an teasachadh le connadh fosail. 'S bha iad sin uile a' gànrachadh an èadhair le gasaichean puinnseanta agus na gasaichean sin a' teasachadh an àile.

Chunnaic i gu robh e a' fàs anshocair agus a' tighinn a-mach ann am fallas.

Lean i oirre gu dùrachdach. "'S e buil a h-uile nì tha sin gu bheil an deigh aig na Pòlaichean a' leaghadh 's ìre na mara ag èirigh. Barrachd stoirmean agus thuiltean; na dùthchannan teithe a' fàs nas teotha; daoine a' bàsachadh le gort agus cion uisge . . .

Bha Iain Murchadh a' fàs na bu troimhe-chèile. "Carson," dh'èigh e, "a tha daoine beò mar sin ma tha fhios aca gu bheil e ceàrr?"

"Aon fhacal, sannt," thuirt i le toileachas na guth agus i sàsaichte gu robh i air cuideigin eile a thoirt gu a chiall.

Mhìnich i dha an ceangal eadar sannt agus malairt agus leasachadh. Nuair a bha i a' smaoineachadh gu robh e a' tuigsinn thòisich i a' cunntas deich, naodh, ochd . . . aon.

Dhùisg e agus thug e an aire gu robh a lèine fliuch le fallas.

17

An oidhche às dèidh dha a bhith aig Jane Harthill, bha trom-laighe agus aislingean uabhasach aige. Bha e ga fhaighinn fhèin ann an saoghal far an robh a h-uile càil salach 's bha e fhèin a' faireachdainn salach mar gu robh e air a chòmhdach le poll agus clàbar. Bha e a' feuchainn ri fhaighinn fhèin a-mach à sloc anns an robh e. A-rithist agus a-rithist bha e a' feuchainn ri dìreadh a-mach. Le uile neart rinn e oidhirp mhòr dheireannach e fhèin a tharraing gu sàbhailteachd.

An ath rud, agus e fhathast na chadal, sheòl e a-mach às an leabaidh agus a' chuibhrig na lùib. Thàinig e sìos air a cheann le brag air an làr. An toiseach bha e ann an neul. Cha robh fhios aige dè thachair. Bha e air bhith ann an aisling agus e air chrith leis an eagal. Cha b' e eagal nàdarra a bh' ann, ach eagal gun ainm, eagal ro rudeigin uabhasach a bha dol a thachairt no a dh'fhaodadh tachairt. Bha cuimhne aige mus do dhùisg e a bhith a' breabadh 's a' sabaid 's a' slàraich.

Thilg e a' chuibhrig dheth agus shuidh e air oir na leapa. Cha robh a leithid air tachairt dha a-riamh roimhe. Cha b' e duine a bh' ann a bhiodh ag aisling, no co-dhiù aig am biodh cuimhne air na bha e ag aisling. An corra uair a bhiodh cuimhne aige, cha bhiodh a' chuimhne a' maireachdainn fada. Ach an triop seo bha cuimhne aige – air deireadh na h-aisling gu h-àraidh, e anns an t-sloc eagalach ud 's e ri spàirn gu faighinn a-mach.

Ach cha b' e sin a-mhàin. Bha e a' faireachdainn cuideam de chiont air a' chridhe mar gun robh e air rudeigin uabhasach a dhèanamh. Ciont, ach carson a bhiodh ciont airsan? Mar gun robh e air murt no rudeigin fada ceàrr a dhèanamh. Thàinig gnogadh chun an dorais. Thug e leum às. Thàinig an gnogadh a-rithist, beagan nas làidire na a' chiad turas. Chaidh e a-null gu ruige an dorais.

"A bheil sibh ceart gu leòr?" Dh'aithnich e gur e guth na M-p NicIllÌosa a bh' ann agus fhuair e faochadh. Dh'fhosgail e an doras. Bha i na còta-oidhche agus i a' coimhead gu math iomagaineach.

"An e dad a tha ceàrr? Bha sinn a' cluinntinn sgiamhail."

"Chan e, chan e, bha mi dìreach ag aisling. Bha trom-laighe orm. Tha mi uabhasach duilich ma chuir mi dragh oirbh."

Dh'fhàs a h-aodann na bu shocraiche agus dh'fhalbh an iomagain bhuaithe.

"Och, mas e sin uile a bh' ann. Bha dùil againn gun robh cuideigin ga do mharbhadh, agus às dèidh na thachair . . ." Thriall a guth gu sàmhchair.

Rinn e snodha-gàire leamh. Dh'fheuch e ri a foisneachadh.

"Bha iad a' feuchainn ri sin a dhèanamh ceart gu leòr ach 's ann an aisling a bha e."

Chunnaic e a h-aodann a' fàs truasail agus co-fhaireachail. Rinn i gàire beag, gàire a bha ag innse dha gun robh i air faochadh fhaighinn. Thionndaidh i airson falbh, "Siuthad, mathà, feuch gum faigh thu cadal a-rithist."

Dhùin e an doras air a chùlaibh agus shuidh e air an leabaidh a-rithist. Thug e an aire dhan uair – leth-uair an dèidh ceithir. Bha fios aige nach fhaigheadh e air cadal a-rithist. Chaidh inntinn air ais chun na h-aisling, ach mu thràth bha na h-ìomhaighean oillteil a' fàs fann na chuimhne. An rud a bha a' leantainn ris, b' e an fhaireachdainn chiontach, às bith dè a bha ga adhbhrachadh. Cha robh dad a dh'fhios aige. B' e ciont gun chuspair a bh' ann – rud a bha ga dhèanamh mìle uair na bu mhiosa.

Bhrùchd faclan gu uachdar inntinn, 'tha an saoghal ann an cunnart', 'tha an saoghal againn a' teasachadh', 'feumaidh sinn rudeigin a dhèanamh'. Thòisich e a' cuimhneachadh cuid de na bha Harthill air a ràdh ris, ach cha b' urrainn dha ciall a thoirt às. Smaoinich e air na faclan às a' bhàrdachd aice, 'teas fiabhrais / teas fala, / teas grèine / teas saoghail.' Mar bu mhotha a smaoinicheadh e mu a deidhinn agus a beachdan 's ann bu mhotha a bha e cinnteach gun robh am boireannach às a ciall. Bha i air a bhith a' bruidhinn mu dheidhinn sannt, sannt mhic an duine agus mar a bha an sannt ag adhbhrachadh teas 's mar a bha an teas sin a' toirt air an t-saoghal a bhith a' blàthachadh. Gun teagamh, chitheadh e ciall air choreigin anns a' cheangal eadar sannt agus teas 's gun robh an teas a' tighinn bho mhac agus nighean an duine fhèin. Ach 'teas fiabhrais / teas fala', dè chiall a bh' aig sin?

Bha iad air aontachadh gun deigheadh e air ais thuice ann an latha no dhà. A-nis cha robh e cho cinnteach. Bhuail e air gu làidir gum b' e ise agus na bha i air a ràdh ris a thug an trom-laighe air.

Agus bhuail smuain eagalach e – dè mas e an dol a-mach aig Harthill a thug air Lili cur às dhi fhèin?

Aon uair 's gun tàinig an smuain sin thuige, chan fhaigheadh e cuidhteas i. Bha e na laighe fad na maidne a' smaoineachadh air. Bha e a' dèanamh barrachd cèill na dad eile air na smaoinich e air. Thòisich e a-nis a' tuigsinn dè bha na facail anns an leabhar-latha aig Lili a' ciallachadh. *Cunnart, cunnart mòr IM*. Ma bha i air a bhith a' dol gu Harthill gu cunbhalach dh'fhaodadh sin a bhith air buaidh mhòr a thoirt oirre. Dh'fhaodadh gu robh i a' faireachdainn ann an cunnart bho na bha Harthill ag ràdh rithe, agus gu robh i an dòchas gun toireadh esan cuideachadh dhi. Nach robh anns na pilichean a ghabh i ach glaodh airson a cuideachadh. Nach tuirt i guth ris airson gu robh nàire oirre gun deach i gu Harthill anns a' chiad àite.

An ath oidhche bha eagal air a dhol a chadal. Airson uairean a thìde bha e a' tionndadh an taobh ud 's an taobh ud eile. Bha e gu bhith dà uair sa mhadainn nuair a chaidil e mu dheireadh thall 's cha b' e suain cadail a bh' ann ach cadal anshocair, luaisgeanach, mar gum biodh an ciont a' buaireadh eadhon an cadal fhèin. Greis às dèidh dha cadal, dhùisg an aon aisling e. Nan ghabhadh e a bhith, bha na seallaidhean na bu sgreataidh na bha iad an oidhche ron sin. Bha eagal air gum biodh e air fuaim a dhèanamh a-rithist, ach cha tàinig duine ga fhaighneachd.

Bha e greis na laighe gun chadal ach mu dheireadh thug an sgìths agus an an-fhois air e fhèin a chall ann an dùsal buaireasach.

Nuair a dhùisg e tràth sa mhadainn bha e mar nach biodh e air cadal airson trì latha. Dh'fheumadh e bruidhinn ri cuideigin mu dheidhinn nan aislingean. Bhiodh e a' coinneachadh ri Ailig feasgar. Dh'innseadh e dha. Nam b' urrainn duine a chuideachadh, b' urrainn dhàsan, no, mura b' urrainn, co-dhiù gheibheadh e furtachd o bhith bruidhinn ri a dheagh charaid.

Bha iad nan seasamh ris a' bhàr anns a' Phoenix, gach fear le pinnt na làimh, Ailig le teagamh agus snodha-gàire lag air aghaidh. Bha Iain Murchadh a' smaoineachadh gur dòcha gur e magadh a bh' ann.

"Nise, nise, a charaid, air do shocair! Tha thu 'g ràdh rium gun robh thu aig Cùl Lodair."

"Chuir Harthill ann an neul mi agus siud a' chuimhne a bh' agam."

"Chan eil thu fhèin a' creidsinn . . ."

"Chan eil mi a' creidsinn càil. Chan eil mi ach ag innse dè thachair. Ann am beatha eile gur e Iain Ruadh Stiùbhart a bh' annam agus gun robh mi còmhla ris a' Phrionnsa."

Chunnaic e an teagamh ann an gnùis an fhir eile a' daingneachadh agus a' ghàire a' blàthachadh.

Rinn e fhèin gàire. "Thuirt mi nach eil mi a' creidsinn dad dheth. Tha an inntinn làn chleasan . . . agus mic-meanmna."

"Tha agus gu h-àraidh nuair a tha thu nad leth chadal. Faodaidh i a' char a thoirt asad gu math luath."

Dh'aontaich iad gur e mac-meanmna a thug air a bhith smaoineachadh gun robh e ann am feachd a' Phrionnsa ach dh'inns e dha cuideachd gun robh e neònach nuair a bha e òg na bhalachan gun robh ùidh mhòr aige ann an saighdearachd agus, mar gun robh e air a bhith na shaighdear ann am beatha eile. Bhruidhinn iad air ais 's air adhart air mar a bha slòigh anns an àird an Ear a' creidsinn gu mòr ann an ath-bhreith agus mar a bha an t-anam a' dol bho bhodhaig gu bodhaig, ach dh'aontaich iad gun robh leithid de rud glè dhoirbh a dhearbhadh ann an dòigh a bha a' dol le saidheans.

Às dèidh dha a bhith air pinnt a ghabhail agus tòiseachadh air an ath thè, bha misneachd gu leòr aig Iain Murchadh suathadh ris a' chuspair a bha air a bhith ga bhuaireadh. Ghluais iad gu bòrd, oir bha fear a' bhàir air a bhith togail bhloighean dhen chòmhradh aca agus bha sùil caran neònach aige orra. Rinn e a choltas cho dùrachdach 's a b' urrainn dha. Thòisich e gu dràmadach.

"Tha mi dhen bheachd gur e a marbhadh fhèin a rinn Lili ceart gu leòr, agus tha mi smaoineachadh gu bheil fios agam carson."

"Nach ist thu! Siuthad ma-thà, innis barrachd dhomh."

Cha b' urrainn dha gun snodha-gàire a dhèanamh a' sealltainn air aodann a' charaid, ged a bha an cuspair cho dubhach. Bha Ailig gus sgàineadh gus faighinn a-mach dè bha e a' ciallachadh, a shùilean gus leum a-mach às a cheann. Dh'inns e dha an trom-laighe uabhasach a bha air agus mar nach fhaigheadh e cadal agus gun robh e a' smaoineachadh gur e na thuirt Harthill ris a bha ga adhbhrachadh. Mar a thuirt i ris gun robh an saoghal ann an cunnart mòr bho theas agus gun robh ceangal làidir aig blàthachadh na cruinne ris na bha daoine a' dèanamh. Dh'inns e dha mun phìos bàrdachd a bha air a' bhalla aice agus an còmhradh a bh' aca mu dheidhinn.

Ghabh Ailig balgam às a' ghlainne aige. "Tha e follaiseach gu bheil na rudan sin, mar blàthachadh na cruinne, a' dèanamh dragh dhi. Ach dè 's urrainn dhuinne a dhèanamh, ged a bhiodh e a' tachairt . . ."

"Feumaidh tu èisteachd rium, Ailig." Bha guidhe agus èiginn na ghuth. "Nach eil thu a' tuigsinn – ma bha Harthill a' cur na h-aon smuaintean ann an inntinn Lili, dh'fhaodadh e a bhith air dragh mòr a dhèanamh dhi. Chan eil thu a' tuigsinn cho dona 's a bha an trom-laighe."

Dh'fhàs aodann Ailig trom-chuiseach. "Tha mi duilich, inns dhomh ma-thà dè dìreach an dragh a th' ort."

Mhìnich e dha nach robh cuimhne cheart aige air na bha Harthill air a ràdh ris, ach gun robh e cudromach gum biodh, oir nam b' e an fhìrinn a bha ann agus gun robh i air na h-aon smuaintean a chur ann an inntinn Lili, ma dh'fhaodte gur i a dh'adhbharaich a bàs. Agus ma bha sin fìor, dh'fheumadh iad stad a chur oirre. Cò aige a tha fhios nach robh i a' toirt an aon 'leigheis' do dhaoine eile.

Thug Ailig anail a-staigh. "Tha mi dìreach air smaoineachadh air rudeigin. An e sin a tha air Crombie a chur neònach? Cuiridh mi geall gur e. Tha e air a bhith dol thuice o chionn fhada."

Gnog e a cheann. "Glè mhath. Tha thu ag aontachadh rium. Feumaidh sinn faighinn a-mach le cinnt dè tha i ag ràdh."

"Bhiodh e math sin a dhèanamh, ach ciamar?"

"Tha, thusa a dhol thuice, thu fhèin."

"Mise? Chan eil mo chuimhne-sa nas fheàrr nan tè agad fhèin."

"Ach ma thèid thu ann le inneal beag clàraidh fon lèine agad . . ."

Cha robh Ailig ro chinnteach an toiseach ach mu dheireadh dh'aontaich e gum feuchadh e e, dìreach airson a charaid a shàsachadh. Thuit uallach de ghuailnean Iain Mhurchaidh. Mu dheireadh 's dòcha gum faigheadh e a-mach an fhìrinn.

18

Dà latha às dèidh dhaibh a bhith sa Phoenix choinnich Iain Murchadh ri Ailig anns an taigh aige ann an Inbhir Nis. Bha an dithis aca air bhioran oir bha Ailig air a bhith soirbheachail ann a bhith a' faighinn seisean le Harthill agus bha e air an còmhradh aca a chlàradh. Bha e air fònadh gu Iain Murchadh cho luath 's a fhuair e dhachaigh agus bha iad a-nis deiseil airson èisteachd ris a' chlàradh.

Bha beagan de dh'iongnadh air a bhith oirre gun robh Ailig MacAoidh ag iarraidh tighinn thuice airson leigheis 's i air cluinntinn bho chuideigin eile à CML nach robh mòran creideis aige san obair a bha i ris. Ach thug e chreidsinn oirre gun robh a bheachdan air atharrachadh air sgàth nan rudan matha a bha e air a chluinntinn mun dòigh-obrach aice. Thuirt i, mu dheireadh, gum biodh i ro dheònach leigheas a thoirt dha.

A-nis, bha an dithis aca a' dol a chluinntinn gu mionaideach mar a bha an 'leigheas' sin ag obrachadh. Cha b' urrainn dhaibh feitheamh gus a chluinntinn. Shuidh iad sa chidsin 's an t-inneal-clàraidh air a' bhòrd eatarra. Chuir Ailig a dhol e.

"*Dèan thu fhèin cofhurtail. Cha ghoirtich e idir . . .*" *(gàire beag)*

"*An robh thu riamh aig suainealaiche roimhe seo?*"

"*Cha robh, ach tha mi aig tè a-nis.*" (*gàire*)

"*Na biodh dragh sam bith ort. Cha dean e cron ort idir ann an dòigh sam bith. An toiseach innis dhomh dè tha a' cur dragh ort.*"

"*Tha mo ghuailnean air a bhith a' faireachdainn uabhasach teann. Chan eil mi air a bhith a' cadal ro mhath.*"

"*Tha thu aig Comann Mòr an Leasachaidh, nach eil. A bheil an obair a' còrdadh riut?*"

"*O tha, tha mi ann an Roinn Turasachd a' Chomainn.*"

"*Math dha-rìribh. Bidh e na chuideachadh airson faighinn a-mach dè tha 'g adhbhrachadh an teannachaidh agus cion a' chadail ma chuireas mi ann an neul thu . . . O, bidh thu a' cluinntinn a h-uile nì a bhios mi ag ràdh . . . ach cuideachd bidh nithean ag èirigh an-àirde nad inntinn nach robh fhios agad a bh' ann. 'S dòcha rudan a tha air a bhith a' dèanamh dragh dhut o chionn fhada. Tha inntinn mhic an duine nas neònaiche na shaoileadh duine. Ach tha e nas fheàrr ma gheibh sinn gu bun na cùise. A bheil sin ceart gu leòr?*"

"*Gu dearbh, bhiodh sin math ach chan eil fhios a'm dè cho furasta 's a bhios e mise a chur ann an neul.*"

"*Tha e furasta le cuid 's chan eil le cuid eile, ach faodaidh sinn feuchainn. A bheil thu deiseil?*"

"*Tha, cho deiseil 's a bhios mi . . .*"

"*Bidh thu gad fhaireachdainn fhèin a' fàs sìtheil. Tha an teannachadh uile gad fhàgail. Tha thu a' faireachdainn ciùin agus sèimh, thu a' fàs nas socraiche agus nas socraiche. Tha thu a' fàs cadalach agus gu tur aig fois . . . do ghàirdeanan agus do chasan a' fàs nas truime agus nas truime . . . nuair a chunntas mi gu deich bidh thu ann an neul cheart agus innsidh tu dhomh dè tha ceàrr . . . agus nuair a chunntas mi bho dheich sìos gu a h-aon*" bidh thu nad dhùisg agus thu mothachail a-rithist mar a tha thu an-dràsta . . . aon, dhà, trì . . . deich. A bheil thu cofhurtail a-nis?"

"Tha, tha mi glè chofhurtail."

"A bheil dad ann a tha dèanamh dragh dhut aig an àm seo nad bheatha?"

"Chan eil, tha mi toilichte gu leòr."

"A bheil thu a' faireachdainn ciont mu dheidhinn rud sam bith?"

"Chan eil."

"A bheil thu cinnteach? Tha mòran dhaoine a' faireachdainn ciont anns an linn anns a bheil sinn beò . . . gu h-àraidh ann am buidhnean leasachaidh mar a' bhuidhinn anns a bheil thu fhèin ag obair."

"Chan eil mi a' tuigsinn."

"Tha an saoghal ann an cunnart mòr o bhlàthachadh agus 's e sinne, a h-uile mac màthar againn, a tha ag adhbhrachadh sin. Mar as motha de leasachadh a th' ann 's ann as motha de CO_2 a bhios a' dol dhan àile, 's mar a tha feum air fiodh 's ann as lugha dhen choille mhòir a bhios ann, agus tòisichidh an deigh aig na Pòlaichean a' leaghadh. Mu dheireadh cha bhi duine beò ach air èiginn, oir bidh an saoghal na fhàsach tioram."

"A bheil dad ann a ghabhas dèanamh?"

"Feumaidh fios a bhith aig daoine dè dha-rìribh as coireach gu bheil seo a' tachairt . . ."

"Nach e dìreach gum feum daoine a bhith beò . . . feumaidh iad connadh airson càraichean agus plèanaichean agus iomadh rud eile agus airson iad fhèin a chumail blàth."

"Feumaidh, feumaidh, ach chan eil sin ach pàirt dhen fhìrinn . . ."

"Dè tha thu a' ciallachadh?"

"Tha mi cinnteach gun cuala thu mu Jung, 's e sin Carl Gustav. Bha e a' creidsinn gun robh mothachadh coitcheann ann aig sluagh an t-saoghail, gu robh samhlaidhean ann a bha a' tighinn an uachdar ann an aislingean. Uaireannan, bha seo ag innse dè a bha a' dol a thachairt dhan t-saoghal . . ."

'Not mine own fears, nor the prophetic soul
Of the wide world dreaming on things to come,
Can yet the lease of my true love control,
Supposed as forfeit to a confined doom.'

"Tha thu ceart, tha cuimhne agam leughadh gun robh droch aislingean aige mun Chiad Chogadh Mhòr mus do thachair e idir."

"Tha sin ceart, agus tha aislingean a-nis aig daoine aig a bheil fios – 'the prophetic soul of the wide world' ma thogras tu – ach 's ann mu theasachadh na cruinne a tha iad. Tha iad a' faicinn gu bheil mòran rudan uabhasach a' dol a thachairt – fearann a' dol fon mhuir, tuiltean uabhasach agus gort agus tart le cion uisge, rìoghachd a' cogadh an aghaidh rìoghachd airson am beagan connaidh agus stòrais a bhios air fhàgail. Ann an ceud bliadhna eile bidh a' chuid as motha den t-saoghal na fhàsach. Bàsaichidh a' mhòr-chuid de shluagh an t-saoghail.

"Tha sin doirbh a chreidsinn. Chan eil an sin ach beachd cuid den luchd-saidheans. Chan eil dearbhadh sam bith ann gu bheil a leithid a' tachairt."

"Tha daoine mar James Lovelock a' sealltainn gu bheil e a' tachairt agus 's ann nas miosa a bhios cùisean a' fàs mura dean sinn rudeigin mu dheidhinn."

"Ach dè 's urrainn dhuinn a dhèanamh ged a bhiodh a leithid a' tachairt?"

"*Tha thusa ag obair do bhuidheann leasachaidh. 'S iad na buidhnean leasachaidh as motha a tha dèanamh a' mhillidh. Feumaidh an leasachadh seo sgur, oir tha e a' cur gu mòr ri blàthachadh na cruinne. Tha thu ag obair do bhuidheann cumhachdach. Feumaidh tu stad a chur air. Feumaidh sibh an leasachadh a tha sibh ris a thionndadh air ais. Feumaidh sibh gun a bhith a' toirt cuideachadh do dhaoine agus do chompanaidhean airson factaraidhean ùra a thogail. An dèan thu do dhìcheall?*"

"*Smaoinichidh mi mu dheidhinn. Chan eil mi a' tuigsinn ach beagan dhe na tha thu ag ràdh.*"

"*Math dha-rìribh. Tha thu air dèanamh uabhasach math. Thig thu air ais an ath sheachdain agus innsidh mi tuilleadh dhut. Cuidichidh tu an saoghal, nach cuidich?*"

"*Cuidichidh.*"

"*Agus chì thu, nuair a thòisicheas tu a' cuideachadh, falbhaidh an ciont.*"

"*Ach chan eil mi a' faireachdainn ciontach.*"

"*Chan eil e furasta do dhaoine aideachadh gu bheil iad a' faireachdainn ciontach, ged a tha. Ach na biodh dragh idir ort. Fàsaidh a h-uile nì soilleir às dèidh seisean no dhà eile.*"

"*Fàsaidh, tha mi cinnteach.*"

"*Math dha-rìribh, deich, naoi, ochd . . . aon. Sin thu, tha thu nad dhùisg . . . Ciamar a tha thu a' faireachdainn?*"

"*Ciontach.*"

"*Tha sin math. Mus tig slànachadh thugad, bidh tu a' faireachdainn mar sin. Tha sin nàdarrach.*"

"*Mòran taing, chì mi an ath sheachdain thu.*"

"*Glè mhath, mar sin leat an-dràsta.*"

"*Mar sin leat.*" (*fuaim dorais a' dùnadh*).

Chuir Ailig dheth an t-inneal. Choimhead iad air a chèile gun ghuth a ràdh airson tiotan.

B' e Ailig a bhruidhinn an toiseach. "A dhuine bhochd, cò chreideadh gum biodh neach-leigheis a' bruidhinn mar sin?"

Ghnog Iain Murchadh a cheann, "Tha i cunnartach cuideachd, agus seòlta."

"Nach eil e diabhlaidh? Dh'fhaodadh i cron mòr a dhèanamh."

"Chan eil teagamh nach eil i air cron a dhèanamh."

"Tha thu ciallachadh . . ."

"Tha mi ciallachadh gu bheil mi deimhinn às a-nis, gur e an 'leigheas' mas fhìor a bha i a' toirt seachad a dh'adhbharaich gun do mharbh Lili i fhèin."

"Ciamar as urrainn dhut a bhith cinnteach?"

"Cha robh mi aice ach aon triop agus seall na h-aislingean a bh' agam agus cho ciontach 's a tha mi a' faireachdainn. Bha Lili a' dol thuice airson mìosan."

"Tha thu ceart, feumaidh sinn rudeigin a dhèanamh mu dheidhinn."

Dh'aontaich an dithis aca gum feumadh iad rudeigin a dhèanamh mus cuireadh daoine sam bith eile às dhaibh fhèin. Do dh'Iain Murchadh bha e a-nis cho soilleir ris a' ghrèin anns na speuran gur e an dol-a-mach aig Harthill a thug air Lili làmh a chur na beatha fhèin. Bha fios aige mar a bha e fhèin a' faireachdainn dìreach às dèidh aon seisean agus bha e a' sealltainn air fhèin mar neach a bha làidir na inntinn agus nach leigeadh le mòran dragh a chur air. Ach do dhuine aig an robh faireachadh cho meanbh agus mothachail ri Lili, bhiodh e doirbh cur suas ri seisean às dèidh seisean den chòmhradh a bha iad air a chluinntinn.

Chan e gur e a' bhreug gu tur a bha aig Harthill. Bha an dithis aca ag aontachadh gun robh 's dòcha blàthachadh na cruinne a' tachairt agus gum bu chòir rudeigin a dhèanamh mu dheidhinn. Bha e soilleir gun robh na bha tachairt san t-saoghal a thaobh leasachaidh is eile air claonadh a chur na h-inntinn agus gun robh i a' smaoineachadh gum b' urrainn dhi fhèin rudeigin a dhèanamh airson an saoghal a shàbhaladh.

Bha dùrachd am briathran Ailig. "Chan eil ach aon rud as urrainn agus a dh'fheumas sinn a dhèanamh cho luath 's a ghabhas . . .'s e sin an teip seo a thoirt dha na Poilis."

B' e faochadh a bha anns na facail do dh'Iain Murchadh. "Dìreach an rud a bha mi fhìn a' smaoineachadh"

Gun dàil, chaidh iad gu Stèisean a' Phoilis leis an teip.

19

Cola-deug às dèidh dha bhith aig taigh Ailig, fhuair Iain Murchadh fòn bho Iain MacIlledhuinn, an lorg-phoileas a bha ga cheasnachadh às dèidh bàs Lili.

Dh'inns e dha gun robh iad air rannsachadh a dhèanamh air an obair aig Harthill agus gun deach casaidean a thogail na h-aghaidh. Bha i ag àicheadh gun do rinn i dad ceàrr agus dh'fheumadh an gnothach a dhol gu cùirt. Chaidh cead a thoirt bhuaipe i a bhith ag obair mar neach-leigheis suainealais. Bha, bha e ceart gum faodadh e bhith gun robh na bha i ag ràdh ri Lili air buaidh a thoirt air a h-inntinn. Dh'fheumadh a' chùirt tighinn gu co-dhùnadh mu dheidhinn sin. Bha e air innse do mhàthair Lili mar a thachair agus, mar a bhiodh dùil, bha i air a h-uabhasachadh leis a h-uile càil a thachair. Cuideachd, bhiodh esan agus a charaid Ailig MacAoidh air an gairm mar fhianaisean.

Nuair a thàinig e dhen fòn, bha e a' faireachdainn fann. 'S ann a-nise a bha na thachair a' drùdhadh air agus bha fios aige gum biodh greis mus faigheadh e seachad air a h-uile nì, nam faigheadh gu bràth. 'S e an rud a bha dèanamh a h-uile dad na bu mhiosa gun robh e a' tuigsinn mar a mheall Lili e. Bha i air a dhol a-mach le Crombie agus cha robh i air innse dha. Bha e air a bhith cinnteach gun robh gaol aig oirre, agus aicese airsan, ach 's dòcha gun robh e air a mhealladh ann an sin cuideachd.

Bha e soilleir gu robh i air a bhith falach rudan bhuaithe. Carson idir nach do dh'inns i dha gu robh i a' dol gu suainealaiche? Carson, carson, carson? Nam biodh 's dòcha gum b' urrainn dha a bhith air a cuideachadh. An e nàire a bh' oirre innse dha?

Dh'fheumadh e Inbhir Nis fhàgail agus obair eile fhaighinn. 'S dòcha gun deigheadh e air ais gu bhith na fhear-naidheachd. Ach mus dèanadh e dad dhe sin dh'fheumadh e sgrìobhadh gu Daibhidh, bràthair Lili. Bha rudeigin ann mun duine a thug buaidh shònraichte air agus a bha ga bhuaireadh bho àm gu àm. Bha e cinnteach nach e dìreach gum b' e bràthair Lili a bha ann. Cha b' e idir. Bha charisma anns an duine. Bha e a' deàrrsadh na ìomhaigh 's na ghuth 's na ghiùlan. Cnag na cùise, 's e mar gun robh eòlas aige air an t-saoghal seo 's air a' bheatha seo nach robh aigesan, agus cinnt aige anns na bha e a' creidsinn agus sin a' toirt misneachd mhòr dha. Bha an duine a' cur eud ann: bha e ag iarraidh barrachd fhaighinn a-mach mu dheidhinn agus mu a bheachdan.

Chuir e roimhe gun sgrìobhadh e thuige. Bha leisgeul math aige: dh'fhaodadh e innse dha mar a thachair anns na seachdainean a chaidh seachad agus mar a fhuair e fhèin agus Ailig a-mach an fhìrinn mu na thachair do Lili.

Bha e cinnteach gum biodh a mhàthair air innse dha mu thràth na bha na poilis air innse dhi, ach bheireadh an sgeulachd aigesan sealladh eile dha. Dh'fhòn e màthair Lili airson seòladh a mic ann an Uganda. Bha i ro dheònach sin a thoirt dha agus chuir e beagan iongnaidh air cho càirdeil 's a bha i ris. Ach nuair a smaoinich e barrachd mu dheidhinn, dh'fhàs e soilleir dha. Bha i a' cur na coire air Harthill a-nis airson bàs na nighinne aice agus cha b' ann airsan.

Shuidh e sìos aig an deasg aig an uinneig. Bha e air ais anns an rùm aige fhèin agus chitheadh e gàrradh nan Gilliosach air a bheulaibh. Na duilleagan a' fàs buidhe, agus donn agus a' tòiseachadh air tuiteam: saoghal nàdair a' freagairt an fhuinn a bha air fhèin. Shuidh e airson greis ann an neul a' gabhail beachd air an t-sealladh. Mu dheireadh, chuir e peann ri pàipear.

Inbhir Nis
10mh An t-Sultain, 1986

A Dhaibhidh choir,

Tha mi duilich ma tha seo na iongnadh dhuibh, gu bheil sibh a' faighinn litir bhuamsa, ach bha mi ag iarraidh sgrìobhadh thugaibh a dh'innse dhuibh na tha air a bhith a' tachairt anns an t-seachdain no dhà a chaidh seachad. Tha mi cinnteach gum bi sibh air cluinntinn mu thràth bho ur màthair mu na fhuair mo charaid Ailig agus na poilis agus mi fhìn a-mach mu bhàs duilich ur peathar, ach bha mi ag iarraidh innse dhuibh mi fhìn bhon taobh agamsa.

Tha mi air a bhith uabhasach duilich agus tha e air a bhith dèanamh dragh mòr dhomh gun do chaochail i idir oir bha meas mòr agam oirre, mar a tha fhios agaibh . . .

Dh'inns e dha a h-uile càil a bha fios aige air mu Jane Harthill agus mar a bha e fhèin aice an toiseach airson 'leigheas' agus gun do rinn a charaid clàradh dhi. Dh'inns e dha cuideachd mu na droch aislingean a bha aige às dèidh dha a bhith aig Harthill agus gun robh e cinnteach gur e an droch dhìol a fhuair i aig làmhan a' bhoireannaich ud a thug air a phiuthar làmh a chur na beatha fhèin. Chùm e air:

Cha b' idir adhbhar math a thug oirnn coinneachadh ri chèile ach, an dèidh sin, chòrd e gu mòr rium coinneachadh ribh. Chuir e iongnadh orm cho sìtheil, sona 's a bha sibh a' coimhead – ged a bha adhbharan gu leòr agaibh airson a bhith a chaochladh. Tha sibh cuideachd nar lighiche ann an Afraga, a' cuideachadh nan daoine bochda thall an sin. Dè tha toirt oirbh sin a dhèanamh? Tha mi an dòchas nach bi sibh a' smaoineachadh gur ann mì-mhodhail a tha mi. 'S e tha air cùlaibh nan ceistean agam, tha mi fhìn cho neo-chinnteach mun a h-uile càil, gu h-àraidh nuair a tha e a' tighinn gu creideamh, agus aithnichidh mi oirbh gur e duine tuigseach a tha annaibh. Dè tha a' toirt oirbh leithid de chreideamh a bhith agaibh? 'S dòcha gum b' urrainn dhuibh mo chuideachadh. Chunnaic mi leabhar air an sgeilp leabhraichean agaibh le Paul Tillich. An dèanamh e feum dhomh an stuth aigesan a leughadh?

Ma tha na ceistean a tha seo gòrach agus mura h-eil sibh ag iarraidh an litir seo a fhreagairt, na gabhaibh dragh sam bith. Cha bhi diomb idir orm. Bhithinn duilich ur toirt air falbh ann an dòigh sam bith bhon obair phrìseil a tha sibh a' dèanamh ann an Uganda.

Co-dhiù, tha mi an dòchas gun coinnich sinn a-rithist.

Le mòr spèis,
Iain Murchadh MacLeòid

Seachdain às dèidh dha an litir a sgrìobhadh, dh'fhàg Iain Murchadh airson Glaschu. Bha e dòchasach gum faigheadh e obair a-rithist aig a' BhBC agus 's e sin thachair. Dh'fhàg e fios le Oifis a' Phuist ann an Inbhir Nis airson litrichean sam bith a chur chun an t-seòlaidh aige ann an Glaschu. Cha b' fhada gus an robh e air a bhogadh san obair ùir aige 's chaidh seachdainean seachad 's cha mhòr nach do dhìochuimhnich e mun litir a sgrìobh e. An uair sin, aon latha 's e air tighinn dhachaigh bho obair, bha litir a' feitheamh ris agus stampa Afraganach oirre. Dh'fhosgail e i gu dùrachdach:

Kampala
11/10/86

A charaid chòir,

Thug e toileachas mòr dhomh litir fhaighinn bhuat. Tha mi air a bhith a' dèanamh tòrr smaoineachaidh mu na thachair agus tha mi air a bhith a' caoidh nach eil Lili tuilleadh còmhla rinn. Bha mi gu math dèidheil oirre ged a chaidh sinn air diofar shlighean. Tha na dh'inns thu fhèin dhomh air a bhith na chuideachadh mòr agus tha mi a-nis a' tuigsinn nas fheàrr dè dìreach a thachair agus carson a chuir i às dhi fhèin. Tha e an-còmhnaidh na chuideachadh ma tha fios againn carson a thachair rud. Chan eil dad nas miosa na e bhith na chùis dhìomhair – gu bràth a' faighneachd, Carson idir a mharbh i i fhèin?

A thaobh Jane Harthill, nach e sin tric a tha tachairt, neach agus deagh amas aige no aice airson math a dhèanamh agus ann a bhith ro dhìcheallach 's ann a tha e no i a' dèanamh milleadh mòr. Cha leig a leas sin tachairt ach faodaidh e, gu math furasta. Sin as coireach gur e an gaisgeach as motha a tha agam Albert Schweitzer.

Bha thu faighneachd carson a tha mi a' dèanamh na tha mi ris, agus tha mi smaoineachadh gur e sin co-dhiù pàirt dhen fhreagairt, a' bhuaidh a bha aig an duine ud air mo dhòigh smaoineachaidh. Fhuair e an duais Nobel airson an teagaisg aige 'thoir urram do bheatha' no 'reverence for life' agus bha e a' sealltainn sin na bheatha fhèin. Mholainn e fada dhut ro Phòl Tillich. Cha robh sin ach leabhar a b'fheudar dhomh a leughadh nuair a bha mi nam oileanach.

Ach biodh misneachd agad, a charaid, tha beatha gach neach na cheum eadar-dhealaichte agus tha sinn uile aig ìre eadar-dhealaichte air an t-slighe. Ach aig deireadh an latha 's e truas agus co-fhaireachadh a tha cudromach. Sin an searmon agam airson an-diugh! Tha thu fada ro chòir nuair a tha thu a' cleachdadh facal mar 'tuigseach' mu mo dheidhinn-sa.

Taing mhòr dhut a-rithist airson sgrìobhadh thugam. Tha mi an dòchas gun coinnich sinn a-rithist gu dearbh. An ath uair a bhios mi a' tighinn dhachaigh a dh'Alba leigidh mi fios dhut.

Leis a h-uile beannachd,
Daibhidh

Phaisg e an litir. Cha mhòr nach robh deòir na shùilean, ged a bha e air a bhith duilich dha gal o bha e air a bhith na leanabh. Ged nach robh Daibhidh air am facal 'mathanas' a chleachdadh, bha fios aige gur e sin a bha anns an litir seo, agus bha sin cudromach, gun robh an duine seo a' toirt mathanas dha.

Chuir e roimhe gun deigheadh e gu Leabharlann Mhitchell nuair a bhiodh tìde aige. Dh'fheumadh e faighinn a-mach mu Albert Schweitzer, ge brith cò a bha ann.

Seachdain no dhà às dèidh dha an litir sin fhaighinn, rinn e a shlighe a Dhùn Èideann far an robh a' chùis-lagha an aghaidh Jane Harthill a' tighinn chun na h-Àrd-chùirt. Bha e fhèin agus Ailig nam fianaisean na h-aghaidh. Fhuair an diùraidh ciontach i gu h-aon-ghuthach gu robh i air bàs adhbhrachadh le coire agus fhuair i trì bliadhna sa phrìosan. Cha toireadh sin Lili bhochd air ais, ach cha bhiodh co-dhiù an cothrom aice tuilleadh dhaoine eile a chur ann an cunnart.